ARMAGEDOM 2419 A.D.

PHILIP FRANCIS NOWLAN
ARMAGEDOM 2419 A. D.

tradução
OSCAR NESTAREZ

SÃO PAULO, 2022

Armageddon 2419 A.D.
Armagedom 2419 A.D.
Copyright © 2022 by Novo Século Editora Ltda.
Traduzido a partir do original disponível no Project Gutenberg.

EDITOR: Luiz Vasconcelos
COORDENAÇÃO EDITORIAL: João Paulo Putini
TRADUÇÃO: Oscar Nestarez
PROJETO GRÁFICO E DIAGRAMAÇÃO: João Paulo Putini
PREPARAÇÃO: Paola Caputo
REVISÃO: Flávia Araujo
ILUSTRAÇÃO DE CAPA: Gustavo Sazes

Texto de acordo com as normas do Novo Acordo Ortográfico da Língua Portuguesa (1990), em vigor desde 1º de janeiro de 2009.

Dados Internacionais de Catalogação na Publicação (CIP)
Angélica Ilacqua CRB-8/7057

Nowlan, Philip Francis, 1888-1940
Armagedom 2419 A. D.
Philip Francis Nowlan ; tradução de Oscar Nestarez.
Barueri : Novo Século, 2022.
128 p. (Mestres primordiais)

ISBN 978-65-5561-307-0
Título original: Armageddon 2419 A. D.

1. Ficção norte-americana I. Título II. Nestarez, Oscar III. Série

21-5090   CDD 813

Índice para catálogo sistemático:
1. Ficção norte-americana

Alameda Araguaia, 2190 – Bloco A – 11º andar – Conjunto 1111
CEP 06455-000 – Alphaville Industrial, Barueri – SP – Brasil
Tel.: (11) 3699-7107 | Fax: (11) 3699-7323
www.gruponovoseculo.com.br | atendimento@gruponovoseculo.com.br

INTRODUÇÃO

Em algum lugar registrei, para qualquer que seja o interesse que se possa ter no século 25, minhas recordações pessoais do século 20.

Agora me ocorre que minhas memórias do século 25 podem ser de igual interesse daqui a 500 anos – particularmente considerando-se aquela perspectiva singular pela qual vi o século 25, adentrando-o, como fiz, por meio de um salto de 492 anos.

Essa afirmação exige esclarecimento. Ainda há muitas pessoas no mundo que não são familiares com a minha singular experiência. Daqui a cinco séculos, pode haver ainda mais gente, especialmente se a civilização for destinada a enfrentar convulsões piores do que aquelas que ocorreram entre 1975 A.D. e atualmente.

Devo afirmar por isso que eu, Anthony Rogers, sou, tanto quanto sei, o único homem vivo cujo tempo normal de vida de 81 anos foi ampliado para um período de 573 anos. Para ser preciso, vivi os primeiros 29 anos de minha vida entre 1898 e 1927; e os outros 52, a partir de 2419. O intervalo entre esses dois períodos, de quase quinhentos anos, passei em um estado de animação suspensa, livre das devastações de processos catabólicos, e sem qualquer efeito aparente nas minhas faculdades físicas ou mentais.

Quando iniciei meu longo sono, o homem havia acabado de começar sua verdadeira conquista do ar com uma súbita série de voos transoceânicos, conduzidos por motores de combustão internos. O homem mal havia começado a especular sobre as possibilidades de aproveitar as forças subatômicas e não realizou avanços práticos no campo das pulsações etéreas além do rádio e da televisão primitivos daquela época. Os Estados Unidos da América eram a nação mais poderosa do mundo, sua influência política, econômica, industrial e científica sendo suprema; e, nas artes, o país também estava rapidamente escalando rumo à liderança.

Despertei e descobri que a América que eu conhecia tinha se tornado uma completa ruína – que os americanos eram uma raça assombrada em sua própria terra, escondendo-se nas densas florestas que cobriam as ruínas destroçadas e niveladas de suas cidades que antes eram magníficas, sobrevivendo desesperadamente e lutando para preservar, em seus retiros secretos, os escombros de sua cultura e sua ciência – e a chama imortal de sua vigorosa independência.

A dominação do mundo estava nas mãos dos mongóis e o centro global do poder situava-se no interior da China, com os americanos sendo uma das poucas raças da humanidade que não se submeteram, e, deve-se admitir, em nome da verdade, que eram considerados indignos dessa submissão aos olhos dos Senhores do Ar de Han, que comandavam a América do Norte como tributários do Mais Magnífico.

Porque eles não precisavam das florestas nas quais os americanos viviam nem dos recursos dos vastos territórios cobertos por essas florestas. Com a perfeição com que conduziram a produção sintética de bens e artigos luxuosos, com o notável desenvolvimento de processos científicos e a engenhosa realização do trabalho, eles não tinham necessidade econômica das florestas e nenhum desejo econômico pelo trabalho escravo de uma raça rebelde.

Eles tinham tudo o que precisavam para seu sistema de civilização magnificamente luxuoso e degradante dentro das muralhas das quinze cidades de vidro reluzente que ergueram no céu nos locais de antigos centros americanos, bem como nas entranhas da terra abaixo delas, e com áreas de agricultura relativamente pequenas que ficavam nas redondezas.

A total dominação do espaço aéreo tornou a comunicação entre esses centros uma questão de facilidade e segurança. Eventuais ataques-surpresa de destruição nas terras devastadas eram considerados suficientes para manter os americanos "selvagens" a distância, no abrigo de suas florestas, e evitar que se tornassem uma ameaça à civilização Han.

Porém, aproximadamente trezentos anos de segurança mantida com facilidade – tendo sido o último século quase nulo em termos de progresso científico, social e econômico – abrandaram e enfraqueceram os Hans.

Da mesma forma, deu-se, abaixo da folhagem protetora da floresta, o crescimento de uma nova e vigorosa civilização americana, notável na mobilidade e na flexibilidade de sua organização, na superação de obstáculos quase intransponíveis, no desenvolvimento e na proteção de seus recursos industriais e científicos, tudo em antecipação àquele "Dia da Esperança" pelo qual se aguardava por gerações, quando essa civilização se tornaria forte o bastante para eclodir da crisálida verde das florestas, projetar-se às alturas e destruir o íncubo amarelo.

No momento em que despertei, o "Dia da Esperança" estava quase chegando. Não tentarei registrar uma história detalhada da Segunda Guerra de Independência porque ela já foi documentada por historiadores melhores do que eu. Em vez disso, irei me ater amplamente ao papel que fui afortunado o bastante para interpretar nessa batalha e nos eventos que conduziram a ela.

Tudo foi resultado do meu interesse por gases radioativos. Durante a segunda metade de 1927, a minha empresa, a Corporação Americana de Gás Radioativo, mantinha-me ocupado com a investigação de relatos de estranhos fenômenos observados em algumas minas de carvão abandonadas perto do Vale do Wyoming, na Pensilvânia.

Com dois assistentes e um aparato completo de instrumentos científicos, comecei a exploração de uma área de obras deserta em um distrito montanhoso, onde, muitas semanas antes, diversos engenheiros de mineração relataram traços de carnotita[*] e do que acreditavam serem gases radioativos. O relatório deles não era infundado, estava evidente desde o início, pois, na investigação dos níveis mais elevados da mina, nossos instrumentos já indicavam uma vigorosa radioatividade.

Na manhã de 15 de dezembro, descemos para um dos níveis mais baixos. Para a nossa surpresa, não encontramos água por lá. Obviamente havia sido drenada por

---

[*] Trata-se de um hidrovanadato de urânio e outros metais; é usado como fonte de componentes radioativos.

alguma fissura nos estratos. Constatamos também que o rochedo nas paredes laterais estava flexível, evidentemente por causa da radioatividade, e pedras tombavam sob nossos pés com muita facilidade. Descíamos com cuidado o túnel quando, de repente, as madeiras apodrecidas acima de nós cederam.

Eu saltei para a frente, escapando por pouco da avalanche de carvão e pedra amolecida, mas meus companheiros, que estavam muitos passos atrás de mim, foram soterrados e sem dúvida morreram no mesmo instante.

Eu estava encurralado. O retorno era impossível. Com minha lamparina elétrica, explorei o túnel até o final, mas não encontrei outra forma de sair. O ar tornou-se cada vez mais difícil de se respirar, provavelmente devido à rápida acumulação de gás radioativo. Em pouco tempo, meus sentidos se enfraqueceram e perdi a consciência.

Quando acordei, havia uma circulação de ar frio e fresco no túnel. Pensei que tivesse ficado inconsciente por não mais do que algumas horas, mas, na realidade, parece que o gás radioativo me manteve em um estado de animação suspensa por cerca de 500 anos. Meu despertar, descobri depois, acontecera devido a algum deslocamento dos estratos que reabriu o túnel e limpou a atmosfera. Deve ter sido mesmo isso, porque fui capaz de escalar pelo túnel, por uma pilha de destroços e cambalear de volta pela longa inclinação rumo à entrada da mina, onde meus olhos encontraram um mundo totalmente diferente, coberto por uma vasta floresta e sem sinal visível de ocupação humana.

Vou deixar de lado os dias de agonia mental que se seguiram à minha tentativa de alcançar o sentido de tudo aquilo. Houve momentos em que senti que estava à beira da insanidade. Eu vagava pela mata desconhecida como uma alma perdida. Se não fosse pela necessidade de improvisar armadilhas e clavas rústicas com as quais eu matava a minha comida, acredito que teria ficado louco.

Basta dizer, no entanto, que sobrevivi a essa crise psicológica. Vou iniciar minha narrativa de fato com o meu primeiro contato com americanos do ano de 2419 A.D.

CAPÍTULO 1
HOMENS FLUTUANTES

Meu primeiro vislumbre de um ser humano do século 25 foi em um bosque no qual as árvores espalhavam-se com intervalos estreitos entre si e havia uma densa folhagem acima.

Eu estava vagando sem rumo, e sem esperança, refletindo sobre meu estranho destino, quando percebi uma figura que se afastava com cuidado da densa vegetação ao longo de uma clareira. Estava prestes a chamá-lo alegremente, mas havia algo de furtivo que me impediu. A atenção do garoto (porque parecia ser um rapaz de quinze ou dezesseis anos) estava nervosamente focada no pesado conjunto de árvores do qual acabara de sair.

Ele estava vestido com trajes bastante justos e totalmente verdes e usava um boné parecido com um capacete da mesma cor. Bem acima da cintura, tinha um cinto largo e espesso, que ganhava proporção nas costas ao redor dos ombros, algo parecido com uma mochila.

Enquanto eu captava esses detalhes, houve um lampejo vívido e uma detonação pesada, como a de uma granada de mão, não muito longe à esquerda do rapaz. Ele ergueu um braço e cambaleou de forma estranha, como se flutuasse; então, recuperou-se e deslizou cuidadosamente para longe do local da explosão, agachando-se um pouco, e ainda encarando a parte mais densa da floresta. A cada poucos passos que dava, ele levantava o braço e apontava a vegetação com algo que segurava. Nos locais para os quais apontava, ocorriam terríveis explosões, mais profundamente em meio às árvores. Ocorreu-me, então, que ele estava atirando com uma espécie de pistola, embora não houvesse nem brilho, nem disparo do bocal da arma em si.

Depois de atirar várias vezes, ele pareceu chegar a uma resolução repentina e, virando-se na minha direção, saltou – para minha perplexidade, navegando pelo ar entre as árvores esparsamente afastadas com o salto, de uma forma que eu nunca havia visto antes. Aquele salto deve ter coberto uns quinze metros de distância, ainda que, no ápice do arco realizado, o rapaz não tenha chegado a mais do que três ou quatro metros do chão.

Quando ele pousou, seu pé prendeu-se em uma raiz protuberante e ele estatelou-se vagarosamente à frente. Digo "vagarosamente" porque ele não caiu como eu esperava que acontecesse. A única coisa com a qual posso comparar a cena é com o cinema em câmera lenta, por mais que eu nunca tivesse visto um filme em que os movimentos horizontais fossem registrados em velocidade normal, e apenas os movimentos verticais fossem desacelerados.

Acredito que, por causa da minha surpresa, meu cérebro não estivesse funcionando com sua rapidez natural, porque olhei fixamente para a figura inclinada por muitos segundos antes de ver o sangue que escorria debaixo do boné verde justo. Recuperando meu poder de ação, arrastei-o para longe dali, levando-o para trás de uma grande árvore. Por alguns momentos, ocupei-me em tentar estancar o fluxo de sangue. A ferida não era profunda. Meu companheiro estava mais atordoado do que machucado. Porém, e quanto aos perseguidores?

Peguei a arma de sua mão e a examinei apressadamente. Não era diferente da pistola automática com a qual eu estava acostumado, exceto por parecer ser disparada por um botão em vez de um gatilho. Inseri várias novas rodadas de munição que retirei do cinto de meu companheiro no tambor da arma, o mais rápido que pude, pois logo ouvi, perto de nós, a conversa sorrateira de seus perseguidores.

Seguiu-se uma série de explosões à nossa volta, mas nenhuma ocorreu muito perto. Eles evidentemente não haviam encontrado nosso esconderijo e estavam atirando ao acaso.

Aguardei nervosamente, balançando a arma em minha mão para me acostumar ao seu peso e provável ricochete.

Então vi um movimento na folhagem verde de uma árvore não muito distante, e a cabeça e o rosto de um homem apareceram. Como o meu companheiro, ele estava vestido totalmente de verde, o que dificultava distinguir sua figura. Mas seu rosto podia ser claramente visto. Era um semblante mau, parecia ter estampado nele "assassino".

Isso me fez decidir. Ergui a arma e disparei. Minha mira foi ruim, pois não houve solavanco da pistola como eu esperava, e atingi o tronco da árvore alguns metros abaixo dele. O disparo o atirou de seu poleiro como um pedaço de papel amassado, e ele *flutuou* até o chão, como algo flácido, morto, cuidadosamente levado para baixo por uma mão invisível. A árvore, com seu tronco destruído pela explosão, caiu.

Seguiram-se outras explosões à nossa volta. As armas que estávamos usando não faziam ruído algum ao atirar e meus oponentes encontravam-se evidentemente à deriva em relação à minha posição, assim como eu estava para eles. Então, não tentei reagir aos disparos, contentando-me com uma vigilância atenta da posição deles. E a paciência foi recompensada.

Logo depois, vi um movimento cauteloso no topo de outra árvore. Expondo-me o menos possível, apontei com cuidado para o tronco da árvore e disparei novamente. Um som agudo seguiu-se à explosão. Ouvi a árvore tombar e, em seguida, um gemido.

Fez-se silêncio por algum tempo. Depois escutei um leve ruído de galhos debatendo-se. Atirei três vezes na direção do som, apertando o botão o mais rápido que podia. Ramos caíram onde os projéteis explodiram, mas não havia corpo.

Então, vi um deles. Estava para começar um daqueles incríveis saltos do galho de uma árvore para outra, a pouco mais de dez metros de distância.

Ergui minha arma impulsivamente e disparei. A essa altura eu já havia me acostumado à pistola e minha pontaria estava boa. Atingi-o. A "bala" deve ter penetrado seu corpo e explodido. Por um momento, vi-o voando pelo ar. Então, a explosão, e ele desapareceu. Nunca concluiu seu salto. Foi aniquilado.

Quantos outros oponentes havia, eu não sei. Mas isso deve ter sido demais para eles. Realizaram uma última rodada de disparos contra nós, todos explodindo sem nos causar danos, e pouco depois os escutei se movendo entre os galhos e se afastando pela copa das árvores. Nenhum deles desceu ao chão.

Agora eu tinha tempo para dar alguma atenção ao meu companheiro. Era, descobri, uma moça, e não um rapaz. Apesar de sua aparência robusta devido ao peculiar cinto atado ao seu corpo abaixo dos braços, ela era bastante esbelta e muito bonita.

Havia ali um riacho não muito distante, do qual eu trouxe água e lavei seu rosto e sua ferida.

Aparentemente, o mistério desses longos saltos, da habilidade simiesca de pular de um galho para outro e dos corpos que flutuavam suavemente em vez de cair estava no cinto. Era uma espécie de aparato antigravitacional que quase equilibrava o peso de seu usuário, multiplicando, assim, tremendamente a força propulsora dos músculos das pernas e o poder de levantamento dos braços.

Quando a garota voltou a si, olhou-me com a mesma curiosidade com a qual eu a tinha observado e imediatamente começou a me interrogar. Seu sotaque e sua entonação me confundiam um bocado, mas apesar disso conseguimos nos entender bastante bem, exceto por algumas palavras e frases. Expliquei o que havia acontecido enquanto ela estava inconsciente e a garota simplesmente me agradeceu por ter salvado sua vida.

– Você é uma troca estranha – ela disse, olhando para minhas roupas com curiosidade. Estava claro que ela achava divertido provocar-me pela comparação com seus próprios trajes nitidamente eficientes. – Não entende o que quero dizer com "troca"? Quero dizer, deixe-me ver, um estranho, alguém de alguma outra gangue. A qual gangue você pertence? – Ela pronunciava "gan", com apenas um suave som anasalado.

Eu ri.

– Não sou um gângster – disse. Mas ela evidentemente não entendeu essa palavra. – Não pertenço a nenhuma gangue – expliquei –, e nunca pertenci. Será que todo mundo faz parte de uma gangue hoje em dia?

– Naturalmente – ela respondeu, franzindo o cenho. – Se não pertence a uma gangue, onde e como você vive? Por que não encontrou uma gangue e entrou para ela? Onde você consegue suas roupas?

– Tenho comido caça silvestre pelas últimas duas semanas – expliquei –, e essas roupas... Bem... Ah – fiz uma pausa, perguntando-me como poderia explicar que os trajes teriam algumas centenas de anos.

Enfim, percebi que teria que contar a minha história da melhor forma que pudesse, unindo-a com as minhas suposições a respeito do que havia acontecido. Ela ouviu com paciência, desconfiou no começo, mas foi acreditando à medida que eu prosseguia. Quando concluí, ela se sentou e pensou por um longo tempo.

– É difícil de acreditar – disse –, mas eu acredito – observou-me com franco interesse.

– Você era casado quando ficou inconsciente naquela mina? – perguntou-me de súbito. Garanti-lhe que nunca me casara. – Bem, isso simplifica a questão – continuou. – Sabe, se você fosse tecnicamente classificado como um homem de família, eu somente poderia levá-lo como uma troca convidada, e eu, sendo solteira e não sendo sua parente, não poderia fazer o convite.

CAPÍTULO 2
AS GANGUES DA FLORESTA

Ela me forneceu um breve resumo do sistema social e econômico bastante peculiar no qual seu povo vivia. Ao menos parecia muito peculiar na minha perspectiva de alguém do século 20.

Descobri com perplexidade que exatos 492 anos haviam se passado sobre minha cabeça enquanto permaneci inconsciente na mina.

Wilma, era esse seu nome, não professava ser uma historiadora, então só pôde realizar um breve esboço das guerras que foram disputadas e da forma com a qual ocorreram mudanças tão radicais. Parecia que outro conflito havia acontecido após a Primeira Guerra Mundial, no qual quase todas as nações europeias se uniram para destruir o poder econômico e industrial da América. Foram bem-sucedidas em seu propósito, embora tenham sido muito abaladas, pois foi uma guerra terrível, e essas nações deixaram a América, como a si mesmas, agonizando, sangrando e desorganizada, detendo apenas a couraça vazia de uma vitória.

Essa oportunidade foi aproveitada pelos soviéticos russos, que fizeram uma coalizão com os chineses para devastar toda a Europa e reduzi-la a um estado de caos.

A América, cuja indústria estava preparada para a produção e o comércio em níveis globais, colapsou economicamente e enfrentou um longo período de estagnação com tentativas desesperadas de uma reconstrução financeira. Mas foi impossível protelar a guerra contra os mongóis, que naquele momento subjugavam os russos e estavam visando a um império mundial.

Por volta de 2109, parece, o conflito finalmente foi desencadeado. Os mongóis, com assombrosas frotas de grandes aeronaves e uma tecnologia muito superior à da estropiada América, varreram as costas do Pacífico e do Atlântico, e, vindos do Canadá, aniquilaram a força aérea, os exércitos e as cidades americanas com seus terríveis raios *desintegradores*. Esses raios eram projetados por uma máquina semelhante a um holofote na aparência, cujo refletor, no entanto, não era de uma substância material, mas de um complicado equilíbrio de forças eletrônicas interativas. Isso resultava em um feixe terrivelmente destrutivo. Sob sua influência, a substância material reduzia-se a "nada"; por exemplo, virava vibrações eletrônicas. Destruía, na época, todas as substâncias conhecidas, do ar até as rochas e os metais mais densos.

Eles procederam, então, para a instalação do que se tornou conhecida como a dinastia Han na América, uma espécie de província de seu Império Mundial.

Aqueles foram tempos terríveis para os americanos. Eles eram caçados como animais selvagens. Sobreviveram apenas aqueles que finalmente encontraram refúgio nas montanhas, nos desfiladeiros e nas florestas. O governo entre eles estava perto do fim. A anarquia prevaleceu por várias gerações. Muitos desejavam submeter-se aos Hans, mesmo que isso significasse escravidão. Mas os Hans não os queriam, porque tinham máquinas e processos científicos maravilhosos por meio dos quais todo o trabalho difícil era realizado.

Por fim, encerraram as buscas e a aniquilação dos grupos largamente espalhados de americanos, que agora eram selvagens. Desde que permanecessem escondidos em suas florestas e não se aventurassem perto das grandes cidades construídas pelos Hans, pouca atenção lhes era dada.

Então, teve início a construção da nova civilização americana. Famílias e indivíduos reuniram-se em clãs ou "gangues" para proteção mútua. Por cerca de um século, viveram uma vida nômade e primitiva, deslocando-se de um lugar para outro, temendo desesperadamente os ataques aéreos ocasionais dos Hans e o terrível raio desintegrador. À medida que a frequência desses ataques diminuía, eles começaram a ficar permanentemente em locais específicos, organizando-se de formas que, em muitos aspectos, eram similares àquelas dos lares militarizados dos barões feudais normandos, com exceção de que, em vez de reunirem-se em castelos, suas táticas de defesa exigiam uma certa dispersão de agrupamentos de famílias e indivíduos. Viviam praticamente a céu aberto, nas florestas, em barracas verdes, recorrendo a táticas de camuflagem que ocultavam sua presença para observadores aéreos. Cavaram fábricas e laboratórios subterrâneos para que pudessem protegê-los melhor dos detectores elétricos dos Hans. Acessavam as linhas de comunicação via rádio dos Hans, com instrumentos rudimentares no início, e aparatos melhores mais adiante.

Redobraram todos os esforços no sentido de recuperar a ciência. Por muitas gerações, trabalharam como estudiosos invisíveis e desconhecidos dos Hans, coletando seu conhecimento aos fragmentos, o mais rápido que podiam. Durante a parte inicial desse período, houve muitas batalhas mortais travadas entre as diversas gangues, e alguns ataques corajosos, porém infantilmente fúteis aos Hans, seguidos de investidas terrivelmente punitivas.

Entretanto, à medida que o conhecimento progredia, o senso de irmandade dos americanos se recuperou. Acordos recíprocos foram feitos entre as gangues em áreas em constante expansão. O comércio desenvolveu-se até certo ponto entre uma gangue e outra. Mas o intercâmbio de conhecimento tornou-se mais importante do que o de bens, conforme a habilidade na manipulação de processos sintéticos avançava.

Dentro da gangue, desenvolveu-se um sistema que era um equilíbrio entre a liberdade individual e um socialismo militarizado. O direito à propriedade privada era limitado praticamente a posses pessoais, mas os privilégios privados eram muitos, e respeitados sagradamente. O incentivo às conquistas residia principalmente na obtenção de vários tipos de lideranças e prerrogativas, e apenas em um grau bastante limitado na esperança de se possuir qualquer coisa que pudesse ser classificada como "riqueza", e nada que pudesse ser classificado como "recursos". Por causa da segurança e da eficiência militares, os recursos de todo tipo eram um assunto de interesse público para a comunidade em geral.

Enquanto isso, ao longo dessas muitas gerações, os Hans desenvolveram uma economia de ostentação, e com ela o aperfeiçoamento do vício e da degradação dourados. Os americanos eram vistos como "homens selvagens das florestas", e, como os Hans não precisavam nem queriam as florestas ou os homens selvagens, tratavam-nos como animais, com os quais não mantinham nenhuma relação humana.

Conforme o tempo passava e os processos sintéticos de produção de alimentos e materiais tornavam-se mais desenvolvidos, menos território era necessário para os Hans para os propósitos da agricultura, e, por fim, até os trabalhos nas minas foram abandonados quando se tornou mais barato construir metal a partir de vibrações eletrônicas do que o buscar na terra.

A raça dos Hans, enfraquecida por seus vícios e luxos, com aparatos e processos científicos para satisfazer quaisquer de seus desejos, com virtualmente nenhuma necessidade de trabalhar, começou a assumir uma atitude defensiva em relação aos americanos.

Muito naturalmente, os americanos encaravam os Hans com um ódio profundo, cruel. Conscientes de sua superioridade individual como homens, sabendo que em algum momento ultrapassariam os Hans na tecnologia e na civilização, eles ansiavam desesperadamente pelo dia em que seriam poderosos o suficiente para erguerem-se e aniquilar a praga amarela que assentava sobre o continente.

No momento de meu despertar, as gangues estavam pouco organizadas, mas consideravam a criação de uma força militar especial, cujo objetivo singular seria saquear os Hans e trazer para baixo suas aeronaves sempre que possível, sem causar alarde entre os mongóis. Essa força destinava-se a se tornar o núcleo da força nacional, para quando o Dia da Vingança chegasse. Mas isso, entretanto, só aconteceu depois de dez anos e é outra história.

Wilma me disse que era membro de uma gangue do Wyoming, que reivindicava todo o Vale do Wyoming como seu território, sob a liderança do Chefe Hart. Seu pai e sua mãe estavam mortos, e ela era solteira, então não era um "membro de família". Vivia em um pequeno grupo de barracas conhecido como Acampamento 17, comandado por uma mulher, Chefe do Acampamento, com outras sete garotas.

Suas tarefas alternavam-se entre patrulhamento militar ou policial e trabalhos em fábricas. Pelo período de duas semanas, que se encerraria no dia seguinte, ela estivera na "patrulha aérea". Isso não significava, como imaginei de início, que estivera voando, mas, sim, que ela procurava por espaçonaves Hans acima de uma parte afastada do território do Wyoming e passava a maior parte do tempo empoleirada nas copas das árvores examinando o céu. Se visse alguma espaçonave, ela disparava um "sinalizador" na direção de muitos quilômetros para a lateral, que entraria em ignição enquanto estivesse flutuando verticalmente na direção da terra, de modo que o ponto do disparo não pudesse ser localizado pela espaçonave, atraindo assim uma detonação do raio desintegrador nos arredores de Wilma. Outros membros da patrulha aérea fariam disparos ao ver o dela, até que finalmente um batedor equipado com um ultrofone, que, diferentemente do antigo rádio, operava em vibrações etéreas ultrônicas, passaria o aviso simultaneamente para os quartéis generais da gangue do Wyoming e para outras comunidades dentro de um raio de muitas centenas de quilômetros, sem mencionar algumas naves propulsoras americanas que poderiam estar no ar e que instantaneamente desceriam para se encobrir, fosse em clareiras na floresta ou em campos verdes onde suas cores provavelmente as camuflariam. O método preferido de propulsão dos americanos era conhecido como "foguete", que posso descrever, a partir de minha compreensão do século 20 a respeito do assunto, como uma explosão a gás extremamente poderosa, atomicamente produzida com a simulação de uma ação química. Os cientistas de hoje consideram-na uma reação infantilmente simples, mas, por essa mesma virtude, muito econômica e eficiente.

Porém, no dia seguinte, explicou, ela voltaria a trabalhar na fábrica de tecidos, onde ficaria encarregada de um dos processos sintéticos pelos quais aqueles incríveis substitutos dos produtos de lã, algodão e seda eram elaborados. Ao final de outras duas semanas, ela voltaria ao trabalho militar novamente, talvez no mesmo posto ou como "guarda de contato", atuando onde o território dos Wyomings fundia-se com o dos Delawares, ou dos "Susquannas" (Susquehannas) ou de alguma das outras seis "gangues" daquela região do país que eu conhecia como os estados da Pensilvânia e de Nova York.

Wilma esclareceu para mim o mistério daqueles saltos flutuantes realizados por ela e por seus inimigos e explicou a maneira como o cinto inertron equilibrava o peso.

Os "saltadores" estavam em uso no momento em que "despertei", ainda que fossem caros, porque naquela época o inertron não estava sendo produzido em grandes quantidades. Eles eram muito úteis na floresta. Eram cintos atados logo abaixo dos braços, contendo uma quantidade de inertron ajustada ao peso e aos propósitos dos usuários. Na prática, faziam a pessoa pesar o quão pouco quisesse: até menos de um quilo, se assim desejasse.

Os "flutuadores" são um desenvolvimento tardio dos "saltadores" – motores de propulsão envoltos por blocos de inertron e posicionados nas costas de forma que o usuário flutue enquanto estiver no ar, inclinado levemente para baixo. Com seu motor em operação, o usuário desloca-se como um mergulhador, a cabeça projetada adiante, controlando a direção ao retorcer o corpo e movimentar os braços esticados e as mãos. Lastros atados à parte da frente do cinto ajustam o peso e a ascensão. Alguns preferem poucos gramas de peso ao flutuar, utilizando um leve motor de propulsão para obter isso. Outros, um equilíbrio de flutuação de poucos gramas. A queda inadvertida de peso não é um problema grave. O motor de impulsão sempre pode ser usado para a descida. Mas, como uma precaução extra, no caso de o motor falhar por qualquer razão, são inseridas, em cada cinto, partes destacáveis, sendo que uma ou mais delas podem ser descartadas para balancear qualquer perda no peso.

– Mas quem eram as pessoas que a atacaram – perguntei – e por que você foi atacada?

Eram, ela explicou, membros de uma gangue fora da lei, conhecida como "Sangue Ruim", um grupo que por muitas gerações estivera sob o domínio de líderes sem escrúpulos que tentavam impor os interesses de seu clã por meio de táticas que seus vizinhos consideravam injustas, e que, em consequência, foram boicotados. Tinham como objetivo matá-la perto da fronteira de Delaware, fazendo com que o crime parecesse ter sido cometido pelos batedores de lá para, assim, enredar os Delawares e os Wyomings em atos de retaliação mútua, ou pelo menos levantar suspeitas.

Felizmente não conseguiram surpreendê-la, e ela foi capaz de escapar deles por cerca de duas horas antes que o tiroteio começasse, no momento em que cheguei à cena.

– Mas não devemos ficar aqui conversando – Wilma concluiu. – Preciso levá-lo e, além disso, devo relatar esse ataque agora mesmo. Acho melhor passarmos ao outro lado da montanha. Quem quer que esteja naquele posto terá um telefone e poderei fazer um relatório direto. Mas você precisará de um cinto. Só o meu não terá muito efeito com a soma dos nossos pesos, e não existem tantos benefícios quando saltamos com muito peso. É quase tão ruim quanto andar.

Depois de uma rápida busca, encontramos um dos homens mortos por mim, que tinha flutuado em meio às árvores a alguma distância e cujo cinto não estava muito danificado. Ao destacá-lo do seu corpo, o dispositivo escapou de minhas mãos e disparou rumo ao céu. No entanto, Wilma agarrou-o e, apesar de ele reforçar a elevação de seu próprio cinto a ponto de ela ter de enganchar o joelho a um galho para manter-se ali, conseguiu salvá-lo. Subi na árvore e, com meu peso adicionado ao dela, flutuamos para baixo com facilidade.

CAPÍTULO 3
A VIDA NO SÉCULO 25

Já estávamos atrasados porque eu precisava aprender alguns comandos básicos sobre a técnica de uso dos cintos. Por exemplo, eu havia me sentado com o cinto atado a mim, experimentando um conforto semelhante àquele de uma aconchegante poltrona; quando me levantei com um esforço muscular natural, disparei no ar dez metros acima, com um solavanco selvagem de braços e pernas, do qual Wilma achou muita graça.

Mas, depois de praticar um pouco, comecei a captar o truque de calibrar os esforços musculares para o mínimo na vertical e o máximo na horizontal. A forma correta, descobri, era em certa medida comparável àquela da patinação. Notei também que, particularmente na floresta, os braços e as mãos podiam fazer a diferença ao serem usados para balançar de um galho a outro, assim prolongando os saltos quase que indefinidamente.

Ao subir pela lateral da montanha, constatei que meus músculos do século 20 ofereciam uma vantagem, apesar da falta de habilidade com o cinto, e, como as encostas eram bastante agudas e a maioria dos nossos saltos era para cima, eu poderia ter me afastado de Wilma com facilidade. Mas quando cruzamos o cume e descemos, ela me ultrapassou com sua técnica superior. Escolhendo os declives mais íngremes, ela agachava na copa de uma árvore e impulsionava-se para fora, literalmente mergulhando até que, com a perda de ímpeto horizontal, assumisse uma postura mais vertical e flutuasse para baixo. Dessa maneira, ela percorria por vezes cerca de 400 metros com um único salto, enquanto eu saltava e me mexia desastradamente atrás, desfrutando por completo daquela nova sensação.

No meio do caminho, descendo a montanha, vimos outra figura vestida de verde saltar das copas das árvores na nossa direção. Nós três nos empoleiramos em uma protuberância de pedra da qual podíamos ter uma visão de muitos quilômetros ao redor, enquanto Wilma explicava rapidamente a sua aventura e a minha presença para a colega guarda, cujo nome era Alan. Aprendi depois que essa era a forma moderna de Helen.

– Você precisa informar por telefone, então, não é? – Alan retirou um aparato compacto de 15 centímetros de um coldre ligado ao seu cinto e entregou-o à Wilma.

Pelo que pude ver, o aparato não tinha nenhum receptor específico para o ouvido. Wilma apenas afastou uma tampa, como se estivesse abrindo um livro, e começou a falar. A voz que vinha da máquina estava tão audível quanto a dela.

Ela foi interrogada cuidadosamente a respeito do ataque que sofreu e, por um tempo considerável, sobre mim. Eu podia afirmar, pelo tom de voz de seu interlocutor, que ele não estava disposto a me aceitar tão prontamente quanto ela havia feito. Assim como a outra garota, inclusive. Pude perceber isso pelos relances desconfiados que ela lançava na minha direção, quando achava que eu não estava prestando atenção, e pela maneira como sua mão ficava constantemente ao redor do coldre de sua arma.

Wilma recebeu a ordem de me levar imediatamente e foi informada de que um batedor tomaria seu lugar do outro lado da montanha. Então, ela fechou a tampa do telefone e devolveu-o à Alan, que pareceu aliviada ao nos ver partindo sobre as copas das árvores na direção dos acampamentos.

Havíamos percorrido talvez quinze quilômetros, de uma forma que me pareceu surpreendentemente fácil, quando Wilma explicou que dali em diante teríamos que seguir por terra. Estávamos nos aproximando dos acampamentos, ela disse, e sempre havia a possibilidade de que uma pequena aeronave Han, invisível lá no alto, nos avistasse por meio de um projetoscópio e assim encontrasse a localização dos acampamentos.

Wilma levou-me para o posto dos batedores, instalado em uma pequena construção de forma irregular, adaptada às árvores ao redor, e substancialmente erguida com um material que parecia ser de lâminas verdes.

Fui recebido pelo Batedor-Chefe, que imediatamente relatou minha chegada para o posto principal e para os oficiais, os quais ele chamou de Chefe de Psicologia e Chefe de História, que chegaram alguns minutos depois. A atitude dos três homens foi, de início, educada, porém cética, e o apoio ardente de Wilma pareceu diverti-los secretamente.

Pelas duas horas seguintes, eu falei, expliquei e respondi a perguntas. Precisei explanar, em detalhes, a minha vida no século 20 e o meu entendimento a respeito de costumes, hábitos, negócios, ciência e história daquele período e sobre desenvolvimentos nos séculos que decorreram. Se estivesse em uma sala de aula, eu teria obtido uma nota muito ruim naquele exame, pois não fui capaz de dar qualquer resposta para metade das perguntas deles. Mas não demorei para perceber que quase todas aquelas questões foram feitas como armadilhas. Objetos cujos propósitos eu desconhecia foram casualmente passados a mim e, enquanto os manuseava, fui observado com atenção.

No final, pude ver tanto o espanto quanto a credulidade começando a surgir nos rostos de meus inquisidores, até que os Chefes de História e de Psicologia concordaram abertamente que não conseguiram encontrar falha alguma na minha história ou nas minhas reações e que, por mais inacreditável que parecesse, o meu relato devia ser aceito como genuíno.

Levaram-me imediatamente ao Grande Chefe Hart. Era um homem corpulento com um rosto inescrutável. Ele provavelmente seria um político de sucesso até no século 20.

Deram-lhe um breve resumo de minha história e um relato do exame que fizeram comigo. Ele não fez nenhum outro comentário além de acenar que os aceitava. Então, virou-se para mim.

– Qual é a sensação? – perguntou. – Nós parecemos singulares para você?

– É um pouco estranho – admiti. – Mas estou começando a deixar para trás aquela sensação de atordoamento, embora possa ver que ainda tenho muito a aprender.

– Talvez nós possamos aprender algumas coisas com você também – ele disse. – Então, você lutou na Primeira

Guerra Mundial. Sabe, resta-nos muito pouco dos registros de detalhes dessa guerra, isto é, as condições exatas sob as quais foi travada e as táticas empregadas. Esquecemos muitas coisas durante o terror dos Hans e... Bem, acho que você pode ter muitas ideias dignas da atenção de nossos mestres de ataques. A propósito, agora que está aqui e não pode voltar ao seu próprio século, o que quer fazer? Você é bem-vindo para tornar-se um de nós. Ou talvez você apenas queira ficar conosco por um tempo e depois procurar por outras gangues. Talvez você goste mais das outras. Não se decida agora. Ficaremos com você como uma troca, por um tempo. Vejamos. Você e Bill Hearn devem se dar bem juntos. Ele é Chefe do Acampamento de número 34 quando não está atuando como Chefe de Ataque ou Batedor-Chefe. Há uma vaga no acampamento dele. Fique com ele e pense em tudo por quanto tempo quiser. Assim que se decidir sobre o que quer que seja, avise-me.

Nós todos apertamos as mãos uns dos outros, pois esse era um costume que não havia morrido em quinhentos anos, e parti com Bill Hearn.

Bill, como todos os outros, estava vestido de verde. Era um homem alto. Ou seja, tinha a minha altura, pouco mais de um metro e oitenta. Isso é consideravelmente acima da média agora, porque a raça perdeu um tanto em estatura ao longo das vicissitudes de cinco séculos. A maioria das mulheres tem pouco mais de um metro e cinquenta de altura, e os homens são apenas alguns centímetros mais altos.

Por um período de duas semanas, Bill esteve às voltas com tarefas do acampamento, então eu tive uma boa oportunidade de me familiarizar com a vida comunitária. Não foi fácil. Havia tantas maravilhas para absorver. Não parei de me encantar com a estranha combinação entre vida social rústica e atividade industrial febril. No mínimo, era estranho para mim. Pois, pela minha experiência, desenvolvimento industrial significava cidades lotadas, prédios, ruas pavimentadas, profusão de veículos, barulho, homens e mulheres apressados com rostos tensos ou entediados, vastas estruturas e obras públicas espalhafatosas.

Aqui, no entanto, havia simplicidade rústica, famílias e grupos aparentemente isolados, vivendo no coração da floresta, com trezentos metros ou mais entre cada moradia, total ausência de multidões, nenhum outro meio de transporte além dos cintos chamados saltadores, usados quase que constantemente por todos, e um ou outro foguete casual, utilizado apenas para jornadas mais longas, e fábricas subterrâneas que, a meu ver, pareciam laboratórios e salas de máquinas; muitas delas eram escavações tão profundas quanto minas, com interiores bem-acabados, iluminados e confortáveis. Essas pessoas eram hábeis na camuflagem contra observações aéreas. Suas atividades não seriam identificadas por uma aeronave passando acima do centro da comunidade nem por um inimigo que pudesse surgir do emaranhado dos galhos mais altos e chegar ao solo da floresta. Os acampamentos, ou as estruturas domésticas, eram todos irregulares na forma e de cores que se misturavam às grandes árvores em meio às quais estavam ocultos.

Havia 724 habitações ou "barracas" entre os Wyomings, localizadas dentro de uma área de cerca de 24 quilômetros quadrados. A população total era de 8.688 pessoas, sendo listados cada homem, mulher e criança, fossem como membros ou "trocas".

As fábricas também estavam bastante espalhadas pelo território. Em nenhum lugar era permitido algo que se assemelhasse a uma aglomeração. Tanto quanto fosse possível, famílias e indivíduos eram designados para viver em locais não muito afastados das fábricas ou dos postos nos quais estavam trabalhando.

Todos os homens e as mulheres saudáveis alternavam-se em períodos de duas semanas entre serviços militares e industriais, exceto aqueles que eram necessários nas tarefas domésticas. Como as condições de trabalho nas fábricas e nos postos eram ideais e todos praticavam muitos exercícios ao ar livre, a população era forte e ativa. A preguiça era encarada como talvez a maior das ofensas sociais. O trabalho duro e o mérito, no geral, eram fartamente recompensados com privilégios extras, com promoções para posições de autoridade e com vários itens de equipamento pessoal para conveniência e luxo.

Em momentos de lazer, eu sentia muito prazer ao me sentar do lado de fora da habitação na qual fui instalado com Bill Hearn e outros dez homens, observando os passantes casuais enquanto, sem pressa, mas com movimentos hábeis, eles iam para cima e para baixo na trilha da floresta, saltando da terra com pulos longos, quase horizontais, ocasionalmente balançando-se de um conveniente galho elevado para outro antes de "deslizarem" de volta para o chão mais adiante. A velocidade média nas partes em que essas trilhas eram retas o suficiente ficava em torno de 30 quilômetros por hora. Coisas como automóveis e trens (cujas memórias não tinham mais de um mês na minha mente) pareciam inexpressivamente tolas e fúteis se comparadas com a conveniência proporcionada por esses cintos saltadores.

Bill sugeriu que eu circulasse por vários dias, de fábrica em fábrica, para observar e estudar o que pudesse. Toda a comunidade havia sido informada a respeito da minha chegada, a minha condição de "troca" circulando por todas as construções e os postos locais, por meio de uma transmissão ultrônica. Em todos os lugares eu era recebido com uma postura interessada e prestativa.

Visitei as fábricas nas quais as vibrações ultrônicas eram isoladas do éter e, por meio de processos lentos, eram organizadas em formas subeletrônicas, eletrônicas e atômicas até alcançarem os dois grandes elementos sintéticos, o ultron e o inertron. Aprendi algo, ainda que de forma superficial, sobre os processos de ação química e mecânica combinados por meio dos quais eram produzidas as várias formas de tecido sintético. Acompanhei a manufatura de máquinas que eram utilizadas em locais de obras para produzir várias formas de materiais de construção. Mas eu me interessei particularmente pelas fábricas de material militar e de foguetes.

O ultron é um material sólido de grande densidade molecular e moderada elasticidade, que tem a propriedade de ser 100% condutor daquelas pulsações conhecidas como luz, eletricidade e calor. Por ser completamente permeável às vibrações da luz, é *absolutamente invisível e não reflexivo*. Sua resposta magnética também é de quase 100%, embora não chegue a isso. É, assim, muito pesado sob condições normais, mas extremamente sensível aos raios repelentes ou antigravitacionais, como os que os Hans usam como "pernas" para suas aeronaves.

Inertron é o segundo grande triunfo da pesquisa e dos experimentos americanos com forças ultrônicas. Foi desenvolvido apenas alguns anos antes do meu despertar na mina abandonada. É um elemento sintético, obtido de formas subiônicas "infrabalanceadas" através de um complicado processo heterodinâmico de pulsações ultrônicas. É totalmente inerte a ambas as forças elétricas e magnéticas de todas as ordens acima da *ultrônica*; ou seja, as ordens *subeletrônica*, *eletrônica*, *atômica* e *molecular*. Em consequência, ele tem um grande número de propriedades maravilhosas e preciosas. Uma delas é a *total ausência de peso*. Outra é uma ausência total de calor. Não tem nenhuma vibração molecular. O material reflete 100% do calor e da luz que incide sobre ele. Não é frio ao toque, naturalmente, porque não absorve o calor da mão. É uma estrutura molecular sólida, muito densa, apesar de sua falta de peso, e de grande força e considerável elasticidade. É um escudo perfeito contra os raios desintegradores.

As pistolas de foguete são dispositivos muito simples no que diz respeito ao mecanismo de disparo da bala. São apenas tubos leves, fechados na parte traseira, com um pino ativado por um gatilho para perfurar a película na base do cartucho. Essa perfuração dá início às reações química e atômica. Todo o cartucho deixa o tubo sob seu próprio poder, em uma velocidade inicial bem lenta, o suficiente para assegurar a precisão da pontaria; por isso, o tubo não precisa ser de uma constituição pesada. A bala ganha velocidade à medida que segue. Pode ser sólida ou explosiva. Pode explodir no momento do contato ou após certo tempo, ou ainda uma combinação de ambas as possibilidades.

Bill e eu conversávamos principalmente sobre armas, táticas e estratégias militares. Por mais estranho que pareça, ele não tinha ideia alguma das possibilidades da barragem, apesar de serem óbvios para mim os tremendos efeitos de uma "cortina de fogo" com projéteis tão explosivos como os utilizados por aquelas pistolas de foguete. Mas a ideia da barragem pareceu ter desaparecido sem deixar vestígios nas guerras aéreas que se seguiram à Primeira Guerra Mundial, nas peculiares táticas de guerrilha desenvolvidas pelos americanos no período tardio de operações terrestres contra as aeronaves dos Hans e nas guerras de gangues que, até algumas gerações anteriores, pelo que eu soube, foram quase contínuas.

– Eu me pergunto – disse Bill um dia – se não poderíamos elaborar alguma forma de barragem para utilizar contra os Sangue Ruim. O Grande Chefe me disse hoje que tem se comunicado com as outras gangues, e todas concordam que os Sangue Ruim deveriam ser aniquilados para sempre. Aquele atentado contra a vida de Wilma Deering e o evidente desejo deles de causar problemas entre as gangues alvoroçou cada comunidade ao leste dos montes Allegheny. O Chefe disse que nenhum dos outros vai se opor se formos atrás deles. Então, imagino que em breve faremos isso. Agora me mostre mais uma vez como você empreendeu aquele negócio na floresta de Argonne. As condições deverão ser bem parecidas.

Repassei com ele a estratégia em detalhes, e gradualmente elaboramos um plano modificado que se adaptaria melhor às nossas armas mais poderosas e ao uso dos saltadores.

– Vai ser fácil – Bill exultou. – Vou conversar sobre isso com o Chefe amanhã.

Durante as duas primeiras semanas de minha estadia com os Wyomings, Wilma Deering e eu nos vimos muitas vezes. Naturalmente eu sentia uma amizade mais próxima com ela, tendo em vista o fato de ela ter sido o primeiro ser humano que vi depois de despertar de meu longo sono; a gratidão dela por eu ter salvado sua vida, embora eu não pudesse ter agido de outra forma naquela ocasião, e acima de tudo a minha própria gratidão por ela não achar difícil acreditar na minha história, como outros achavam, operavam na mesma direção. Eu podia tranquilamente imaginar que minha história pudesse soar inacreditável.

Era um tanto natural, também, que ela sentisse um interesse incomum por mim. Em primeiro lugar, eu era sua descoberta pessoal. Em segundo, era uma garota de mente diligente e reflexiva. Ela nunca se cansava de minhas histórias e descrições do século 20.

As pessoas da comunidade, no entanto, pareciam achar a nossa amizade um tanto engraçada. Parecia que Wilma tinha uma reputação de ser fria com o sexo oposto, então, os outros, não sendo capazes de apreciar algumas de suas belas qualidades como eu fazia, interpretavam mal a sua atitude, em grande parte para o próprio prazer deles. Contudo, Wilma e eu os ignorávamos o tanto quanto podíamos.

CAPÍTULO 4
UM ATAQUE AÉREO HAN

Havia uma garota no acampamento de Wilma chamada Gerdi Mann, por quem Bill Hearn estava desesperadamente apaixonado, e nós quatro costumávamos passear bastante juntos. Gerdi era de um tipo diferente. Enquanto Wilma tinha os mesmos cabelos castanho-escuros e olhos amendoados presentes em quase todos os membros da comunidade, Gerdi tinha cabelos ruivos, olhos azuis e pele muito clara. Já morreu faz muitos anos, mas me lembro vividamente dela porque representava um retorno a uma aparência física de um certo tipo do século 20 que descobri ser muito raro entre os americanos modernos; e também porque, certo dia, nós quatro estávamos envolvidos em uma conversa sobre esse exato assunto quando vivi minha primeira experiência de um ataque aéreo Han.

Estávamos sentados no alto da parte lateral de um morro com vista para o vale que fervilhava com atividade humana, invisível sob seu manto de folhas.

Os três, que dos irlandeses tinham um conhecimento vago e indefinido como sendo uma raça do outro lado do globo que, da mesma forma que eles, havia logrado uma existência precária e fugaz em rebelião contra a dominação mongol da terra, estavam ouvindo com interesse a minha teoria de que os ancestrais de Gerdi de muitas centenas de anos atrás deviam ser irlandeses. Eu explicava que Gerdi era do tipo irlandês, evidentemente um "retorno", e que seu sobrenome poderia ter sido "McMann", ou "McMahan", ou, mais antigo ainda, "mac Mathghamhain". Eles também se mostraram interessados em minha suposição de que "Gerdi" era o mesmo nome que "Gerty" ou "Gertrude" havia sido no século 20.

No meio de nossa conversa, fomos surpreendidos por um foguete de alarme que explodiu alto no céu, longe, ao norte, espalhando uma mortalha de fumaça que flutuou como uma nuvem. Foi seguido de outros em pontos espalhados pelo céu do norte.

— Um ataque Han! — Bill exclamou espantado. — O primeiro em sete anos!

— Talvez seja apenas uma das naves deles fora de curso — arrisquei.

— Não — disse Wilma um tanto agitada. — Se fosse, os foguetes seriam verdes. Os vermelhos significam só uma coisa, Tony. Eles estão varrendo o interior com os raios desintegradores. Você consegue ver algo, Bill?

— É melhor nos protegermos — Gerdi disse nervosamente. — Nós quatro estamos agrupados aqui a céu aberto. Pelo que sabemos, eles podem estar a uns vinte quilômetros de distância, fora do alcance da vista, mas observando-nos com um *projecto*.

Bill vasculhava ansiosamente o horizonte com seu binóculo, mas aparentemente não via nada.

— É melhor nos espalharmos — ele disse por fim. — São ordens, vocês sabem. Vejam! — Apontou para o vale.

Aqui e ali minúsculas figuras humanas apareceram por um momento acima da folhagem das copas das árvores.

— Isso é ruim — Wilma comentou, enquanto contava os saltadores. — No mínimo quinze pessoas visíveis e todas evidentemente rodeando um ponto central. Será que querem entregar a nossa localização?

As ordens-padrão para ataques aéreos impunham que a população se espalhasse individualmente. Não devia haver agrupamentos ou mesmo pares de pessoas, dado o potencial destrutivo dos raios desintegradores. A experiência de gerações provou que se isso fosse feito, e que se todos permanecessem escondidos abaixo das árvores, os Hans teriam que varrer o território a pé, quilômetro por quilômetro, para capturar mais do que uma pequena porcentagem da comunidade.

Gerdi, no entanto, recusava-se a deixar Bill, e Wilma demonstrou uma obstinação equivalente ao afastar-se de minha companhia. Eu não tinha experiência nesse tipo de coisa, expliquei, ignorando o fato de que ela tampouco tinha; estava com apenas treze ou catorze anos na ocasião do último ataque aéreo.

Entretanto, como eu não consegui convencê-la, saltamos juntos por cerca de meio quilômetro à direita, enquanto Bill e Gerdi desapareceram morro abaixo, entre as árvores.

Wilma e eu queríamos um ponto privilegiado do qual pudéssemos observar o vale e o céu ao norte, e o encontramos perto do topo do morro, onde, protegidos da visibilidade por galhos grossos, podíamos olhar por entre os troncos das árvores, tendo uma boa vista do vale.

Nenhum outro foguete foi disparado. Exceto por algumas daquelas nuvens vermelhas de alarme, flutuando preguiçosamente em um horizonte azul, não havia, em lugar algum do céu ou da terra, indícios visíveis da existência passada ou atual do homem.

Então Wilma agarrou meu braço e apontou. Eu a vi; muito afastada, parecendo uma aeronave dirigível fantasma, com sua camada de tinta de baixa visibilidade, um mero espectro.

– A mais de dois mil metros de altura – Wilma sussurrou, encolhendo-se perto de mim. – Veja.

A aeronave tinha a mesma forma dos grandes dirigíveis do século 20 que eu havia visto, mas sem o vagão suspenso de controle, sem motores, hélices, lemes ou aviões que a erguessem. À medida que se projetava rapidamente, vi que era mais larga e plana do que eu havia suposto.

Agora eu podia ver os raios repelentes que mantinham a nave no alto, como feixes de holofotes vagamente visíveis à cintilante luz do dia (e também vagamente visíveis ao olho humano à noite). Na verdade, conforme fui informado pelos meus instrutores, havia dois raios: um visível e gerado pelo aparato da nave e dirigido para a terra como um raio de impulsos "carregadores"; e o verdadeiro raio repelente, o complemento do outro em certo sentido, induzido pela ação do "carregador" e reagindo por meio de uma direção concentrada rumo ao alto da massa vinda da terra, tornando-se sucessivamente eletrônico, atômico e finalmente molecular, em sua natureza, de acordo com várias proporções de distância entre a massa da terra e a fonte "carregadora", até que, em última análise, a própria nave de fato se suspende em uma coluna de ar que se desloca para cima, bastante similar com uma bola continuamente suspensa pelo jato de uma fonte.

O inimigo aproximava-se com velocidade incrível. Seus raios inclinavam-se da popa em um ângulo agudo, de forma que ele deslizava adiante com tremendo ímpeto.

A nave estava utilizando dois raios desintegradores, ainda que apenas de maneira casual e intermitente. Mas, sempre que os raios lampejavam para baixo com um brilho capaz de cegar, florestas, rochas e terrenos derretiam instantaneamente, reduzidos a nada nos locais em que eram atingidos.

Quando inspecionei depois as marcas deixadas por esses raios, descobri que tinham cerca de um metro e meio de profundidade e dez metros de largura, as superfícies expostas sendo de uma textura como a da lava, mas de um matiz pálido, iridescente, esverdeado.

Entretanto, nenhum uso sistemático dos raios foi feito pela nave até que ela alcançasse um ponto sobre o centro do vale – o centro de atividades da comunidade. Lá, ela parou de repente ao disparar seus raios repelentes agudamente para a frente e ao atenuá-los gradualmente na vertical, mantendo-se flutuante e sem movimento. Então, a obra da destruição começou de forma sistemática.

Para a frente e para trás foram os raios destruidores, escavando sulcos paralelos de uma encosta à outra. Nós nos desesperamos de tristeza, Wilma e eu, enquanto vimos os raios escavarem, por várias vezes, as seções em que sabíamos que nossos acampamentos estavam localizados.

– Isso é terrível – ela gemeu, com uma apavorada indagação nos olhos. – Como eles poderiam saber a localização tão exata, Tony? Você viu? Eles nunca tiveram dúvida. Atingiram um ponto predeterminado... e... e era o ponto exatamente certo.

Não falamos sobre o que poderia acontecer se os raios fossem posicionados na nossa direção. Ambos sabíamos. Seríamos simplesmente desintegrados em uma fração de segundo, transformados em vibrações eletrônicas esparsas.

Curiosamente, foi aquela garota autossuficiente do século 25 que se agarrou a mim, um homem um tanto primitivo do século 20, menos familiar do que ela com o pensamento daquela terrível possibilidade, para apoio moral.

Sabíamos que muitos de nossos companheiros deviam ter sido absolutamente aniquilados diante de nossos olhos nesses poucos momentos. Tudo aquilo nos condenou a uma paralisia mental e física por não sei quanto tempo.

Não deve ter sido por muito tempo, contudo, porque os raios ainda não tinham escavado mais do que trinta daqueles sulcos de cerca de seis metros ao longo do vale quando retomei o controle de mim mesmo e fiz com que Wilma voltasse a si sacudindo-a com força.

– Quão longe essa pistola de foguete pode disparar, Wilma? – perguntei, sacando minha arma.

– Depende do seu foguete, Tony. A arma recebe até o foguete de maior alcance, mas você poderia atirar com maior precisão de um tubo mais longo. Por quê? Você não conseguiria penetrar a couraça daquela nave com um foguete, mesmo se pudesse alcançá-la.

Remexi desastradamente em minha bolsa de foguetes. E estava animado. Eu queria tentar uma ideia: chamei-a de um "palpite", esquecendo-me de que Wilma não era capaz de entender minhas expressões antigas. Mas, finalmente, com ajuda dela, escolhi o foguete explosivo de maior alcance em minha bolsa e o inseri na minha pistola.

– Não vai chegar a dois mil metros, Tony – Wilma protestou. Mas apontei com cuidado. Era outro pensamento que eu tinha em mente. Haviam me dito que o raio repelente de apoio assumia uma natureza molecular em algo que era chamado de um nível logarítmico de cinco (abaixo do qual era puramente "fluxo" eletrônico ou pulsação entre a fonte do "carregador" e a massa média da terra). Abaixo desse nível, se eu conseguisse projetar minha bala explosiva naquele feixe em que as substâncias materiais eram carregadas para o alto, será que o projétil não se ergueria com a coluna de ar, ganhando velocidade e atingindo a nave com impacto forte o suficiente para penetrar a couraça? De qualquer forma, valia a pena tentar. Wilma também ficou bastante animada quando captou a essência da minha ideia.

Olhei febrilmente ao redor em busca de alguma formação de galhos na qual eu pudesse apoiar a pistola, porque eu teria que mirar com muito cuidado. Por fim, encontrei uma. Com diligência, avistei o casco da aeronave muito acima de nós, apontando para a lateral afastada dela, em um ângulo que iria, pelo que eu pude estimar, conduzir a trajetória do meu projétil através do raio repelente dianteiro.

Por fim, a paisagem começou a oscilar bem naquele ponto, e com calma apertei o botão.

Por um momento, olhamos fixamente, sem fôlego.

De repente, a nave balançou e curvou-se para baixo, como se estivesse em um pivô, e oscilou como um pêndulo. Wilma gritou de alegria.

– Oh, Tony, você a atingiu! Você a atingiu! Faça de novo; derrube-a!

Nós só tínhamos mais um foguete de extremo alcance conosco e, em nossa animação, o deixamos cair três vezes ao inseri-lo na minha pistola. Então, obrigando-me a ficar calmo apenas pela força de vontade, enquanto Wilma enfiava seu pequeno punho na boca para não gritar, apontei cuidadosamente de novo e disparei. Em um piscar de olhos, Wilma aferrou-se à esperança de que essa minha descoberta poderia trazer o fim da dominação Han.

O tempo que durou o voo invisível do foguete pareceu uma eternidade.

Então, vimos a nave caindo. Parecia mergulhar vagarosamente, mas na verdade tombou com uma aceleração terrível, virando de uma ponta a outra, os raios desintegradores fora de controle descrevendo arcos vastos e selvagens e em certo ponto abrindo uma fenda na floresta a menos de sessenta metros de onde estávamos.

O estrondo com o qual a pesada aeronave atingiu o solo reverberou pelas montanhas – a violência de dezoito ou vinte mil toneladas, em queda livre de mais de dois mil metros. Como uma massa de metal destroçado, enterrou-se no solo, com justiça poética, bem no meio da fumegante e semiderretida zona de destruição que ela intencionalmente havia criado.

Quando os últimos ecos desapareceram, o silêncio e o vazio da paisagem foram opressivos.

Então, bem abaixo da encosta da montanha, uma figura solitária saltou exultante acima da folhagem. E, ao longe, outra, e mais outra.

Em um instante, o céu foi atravessado por foguetes sinalizadores. Um depois do outro, os pequenos rastros vermelhos tornaram-se nuvens flutuantes.

– Espalhar! Espalhar! – Wilma exclamou. – Em meia hora, aqui haverá uma frota Han inteira vinda de Nu-yok, e outra, de Bah-flo. Eles vão captar isso instantaneamente nos registrógrafos e nos localizadores. Vão explodir todo o vale e o território por quilômetros e quilômetros além. Vamos, Tony. Não há tempo para a gangue se reunir. Veja os sinais. Precisamos pular. Oh, estou tão orgulhosa de você!

Nós fomos até o cume, depois demos longos saltos rumo ao leste, ao território dos Delawares.

De tempos em tempos, foguetes sinalizadores cruzavam o céu. A maioria era de "alertas vermelhos", os sinais para "espalharem-se". Mas, ao ver alguns outros, que Wilma identificou como os do Wyoming, ela concluiu que quem quer que estivesse no comando (não sabíamos se o Chefe estava vivo ou não) ordenava uma reunião urgente na direção do sul, então mudamos nosso trajeto.

Era uma pena, pensei, que os membros do clã não tivessem sido equipados com ultrofones, mas Wilma explicou-me que esses aparelhos ainda não eram produzidos em quantidade suficiente, embora a distribuição geral deles tivesse sido prevista para dali a alguns meses.

Estávamos bem longe antes que a noite nos alcançasse, tentando apenas colocar o máximo de distância possível entre nós e o vale.

Quando o crepúsculo ao redor fez com que os saltos se tornassem perigosos, procuramos por um local confortável abaixo das árvores e consumimos parte de nossas provisões de emergência. Foi a primeira vez que experimentei aquela coisa – uma substância sintética altamente nutritiva chamada "concentro", que era, no entanto, um pouco amarga e intragável. Mas, como apenas um punhado era suficiente, isso não importava.

Nenhum de nós tinha um manto, mas estávamos completamente esgotados e felizes, então nos enrolamos um ao outro para nos aquecermos. Lembro-me de Wilma fazer algum comentário sonolento sobre a nossa união, enquanto me abraçava, no sentido de a questão já estar resolvida, e me lembro da minha surpresa ante a minha aceitação imediata daquela ideia, porque eu não havia pensado conscientemente sobre isso antes. Mas nós dois adormecemos no mesmo instante.

Pela manhã, conseguimos um tempo para fazer amor. O problema de ordem prática diante de nós era grande demais para que atrasássemos. Wilma pressentiu que o plano dos Wyoming era se reunirem no território Susquanna, mas ela tinha dúvidas a respeito da prudência disso. Na euforia do meu sucesso por ter derrubado a nave Han e no meu recém-adquirido interesse pela minha atraente companheira, que era, de meu ponto de vista de outro século, mais altamente civilizada e, no entanto, mais primitiva do que eu mesmo, eu me esquecera do fato terrível de que a nave Han que destruí devia ter descoberto a localização exata das atividades dos Wyoming.

Isso significava, para a mente lógica de Wilma, que ou os Hans haviam criado novos instrumentos ainda desconhecidos para nós, ou que, entre os Wyoming ou outra gangue dos arredores, havia traidores tão corrompidos que eram capazes de cometer aquele impensável ato de traficar informações com os inimigos. Em ambas as situações, ela argumentou, outros ataques Han viriam, e, como os Susquannas tinham uma organização altamente desenvolvida e fábricas mais produtivas do que a média, poderiam esperar que o próximo ataque os atingisse.

Mas, de qualquer forma, era evidentemente o nosso dever entrar em contato com outros fugitivos o mais rápido possível; então, a despeito dos músculos doloridos pelo excesso de saltos do dia anterior, continuamos nosso trajeto.

Viajávamos por apenas algumas horas quando vimos um foguete multicolorido no céu, cerca de quinze quilômetros a nossa frente.

– Vire para a esquerda, Tony – Wilma disse –, e espere pelo apito.

– Por quê? – perguntei.

– Ainda não passaram a você os códigos dos foguetes? – respondeu. – É isso que o verde, seguido pelo amarelo e pelo roxo significam: concentrar a oito quilômetros para leste da posição dos foguetes. Você sabe que a própria posição dos foguetes pode atrair uma saraivada de raios desintegradores.

Não levamos muito tempo para alcançar as redondezas onde aconteceria o encontro, embora agora viajássemos sob as árvores, com saltos ocasionais para galhos da copa para vermos se havia mais fumaças de foguete flutuando acima. E logo ouvimos um apito distante.

Encontramos cerca de metade da gangue por lá, em um ponto onde as árvores encontravam-se bem acima de um pequeno riacho. O Grande Chefe e os Chefes de Ataque estavam ocupados reorganizando os remanescentes.

Reportamo-nos ao Chefe Hart imediatamente. Ele permaneceu em silêncio, mas interessado enquanto ouvia a nossa história.

– Vocês dois fiquem comigo – disse, acrescentando sombriamente –, vou voltar para o vale agora mesmo com cem homens escolhidos a dedo e precisarei de vocês.

CAPÍTULO 5
PREPARANDO A ARMADILHA

Dentro de quinze minutos, estávamos a caminho. Uma certa quantidade de precaução foi sacrificada em nome da velocidade, e os homens saltavam ou através do topo da floresta, ou por clareiras no solo, mas a concentração estava proibida. O Grande Chefe designou um local na encosta da montanha como o ponto de encontro.

– Teremos que correr o risco de sermos vistos, desde que não nos agrupemos – ele declarou –, pelo menos até estarmos a oito quilômetros do ponto de encontro. De lá em diante, quero que cada homem desapareça da vista e se desloque escondido. E mantenham seus ultrofones abertos e sintonizados em dez-quatro-sete-seis.

Wilma e eu tínhamos recebido nossos aparatos de batalha do Chefe de Equipamentos. Consistiam de uma arma longa, uma arma curta com um estojo especial de munição feito de inertron, que fazia a carga pesar apenas algumas dezenas de gramas, e uma pequena espada. Esse equipamento nós prendemos nos ombros um do outro, acima de nossos cintos saltadores. Além dele, cada um de nós recebeu um ultrofone e uma leve manta de inertron enrolada em um cilindro de pouco mais de dez centímetros de largura por cinco de diâmetro. Esse tecido era muito fino e leve, mas oferecia considerável calor, por causa da mistura de inertron em sua composição.

– Parece que teremos um empreendimento – Wilma disse para mim com os olhos cintilando. (E devo mencionar algo curioso aqui. A palavra "empreendimento" havia sobrevivido desde o vocabulário do século 20, mas sem qualquer significado de "empresa" ou "realização", porque tais coisas, sendo meras atividades da comunidade, eram chamadas de "trabalho" e de "atividade". "Empreendimento" significava apenas "luta", e isso era tudo.)

– Você trouxe todo esse material do vale? – perguntei ao Chefe de Equipamento.

– Não – disse. – Não tivemos tempo para recolher nada. Todas essas coisas nós pegamos dos Susquannas algumas horas atrás. Eu estava viajando com o Chefe, e ele me fez saltar adiante e arranjar tudo. Mas é melhor vocês irem. Ele está acenando agora.

Hart estava prestes a ligar para os nossos fones quando olhamos para cima. Assim que o fizemos, ele se afastou saltando, gesticulando para que o seguíssemos de perto. Era um homem forte e projetava-se adiante com saltos longos, velozes e rasantes pelas margens do riacho, que naquele ponto assumia um curso razoavelmente reto. Ao nos esforçarmos, contudo, Wilma e eu fomos capazes de alcançá-lo.

Conforme gradualmente sincronizamos nossos saltos com os dele, o Chefe explicou, entre os grunhidos que acompanhavam cada pulo, seu plano de ação.

– Temos que iniciar o grande empreendimento, *ugh*, cedo ou tarde – disse. – E se, *ugh*, os Hans encontraram uma forma de localizar nossas posições, *ugh*, a hora de começar é agora, apesar de que o Conselho de Chefes, *ugh*, pretendia esperar alguns anos até que fossem construídas, *ugh*, naves propulsoras o suficiente. Mas não importa o sacrifício, *ugh*, não podemos aceitar que eles nos façam fugir. Vamos preparar uma armadilha para os demônios amarelos no, *ugh*, vale para o caso de virem resgatar seus destroços, *ugh*, e, se não vierem, vamos disparar foguetes contra algumas de suas aeronaves, *ugh*, no trajeto de Nu-yok, Clee-lan e Si-ka-ga. Podemos utilizar, *ugh*, aquela sua ideia de atirar para cima os raios, *ugh*, repelentes. Queremos que você nos mostre como fazer.

Com outro gesto para que o seguíssemos de perto, ele acelerou o ritmo, e Wilma e eu tivemos que nos esforçar ao máximo para acompanhá-lo. Foi apenas subindo as encostas que meus músculos mais preparados se impuseram sobre a maior habilidade dele, e que consegui ditar o ritmo, como fiz com Wilma.

Dormimos com grande conforto naquela noite, sob nossos cobertores de inertron, e partimos com a aurora, saltando cuidadosamente até o topo da montanha que dava para o vale que Wilma e eu havíamos deixado.

O Chefe examinou o céu com seu ultroscópio, investindo pacientemente cerca de quinze minutos nessa tarefa, e então colocou seu fone em uso, ligando para o grupo e dando instruções aos homens.

Sua primeira ordem foi para que todos nós deixássemos os discos de nossos ouvidos e peitorais em posição permanente.

Esses ultrofones eram bem diferentes daqueles usados pela colega batedora de Wilma no dia em que eu a salvei do perverso ataque da gangue de bandidos. Aquele ficava todo dentro de um pequeno compartimento de bolso. Esses, com os quais agora nos equipávamos, consistiam de um par de discos de ouvido, cada um sendo um receptor independente. Eram inseridos em pequenos bolsos acima de nossas orelhas nos capacetes de tecido que usávamos e eliminavam virtualmente todos os ruídos estranhos. Da mesma forma, os discos de peitorais eram emissores independentes, atados ao peitoral alguns centímetros abaixo do pescoço, e atuavam por meio da vibração das cordas vocais através dos tecidos corporais. O alcance total desses aparelhos era de cerca de 30 quilômetros. A recepção era notavelmente nítida, sem quase nada da estática que tanto atrapalhava os rádios do século 20, e de uma potência diretamente proporcional à distância de quem falasse.

O aparelho do Chefe tinha o triplo de potência para que suas ordens atravessassem qualquer conversa localizada, embora isso fosse bastante restrito e só ocorresse com o objetivo de priorizar o contato.

Fiquei maravilhado com a eficiência desse moderno método de comunicação de guerra, em contraste com os toscos aparelhos de sinalização de tempos mais antigos; surpreenderam-me também outros contrastes militares nos quais os séculos 20 e 25 eram o inverso um do outro, em termos de eficiência. Esses americanos modernos, por exemplo, sabiam muito pouco de embates corpo a corpo e nada sabiam, é claro, da guerra de trincheiras. De barragens eles eram bastante ignorantes, ainda que possuíssem armas de extraordinário poder. E até o meu recente episódio de inspiração, ninguém entre eles, aparentemente, sequer cogitou o esquema de lançar um foguete em um raio repelente e fazer com o que o próprio feixe o lançasse acima, na direção da parte mais vital da aeronave Han.

Hart posicionou pacientemente seus homens, primeiro dando instruções para os líderes de acampamentos, e então permanecendo em silêncio enquanto eles, por sua vez, organizavam seus indivíduos.

Ao final, os cem homens estavam espalhados pelo vale, nas encostas e nos cumes, cada um em uma posição da qual tinha uma boa visão dos destroços da aeronave Han. Mas nenhum homem surgiu à vista, até onde pude ver, durante todo o processo.

O Chefe explicou-me a ideia de que ele, Wilma e eu investigaríamos os escombros. Se aeronaves Han aparecessem no céu, nós saltaríamos para as encostas.

Sugeri a ele que colocasse homens treinados com as armas longas em um círculo imaginário ao redor dos escombros. Ele ocupou-se disso depois que nós três saltamos na direção da nave Han, servindo ele próprio de alvo, enquanto convocava os homens individualmente para que sacassem suas pistolas e as deixassem em posição.

Enquanto isso, Wilma e eu escalamos para dentro dos destroços, mas não encontramos muita coisa. Praticamente todos os instrumentos e o maquinário tinham sido destruídos para além de qualquer forma reconhecível ou totalmente aniquilados pelos raios desintegradores da nave, que aparentemente continuaram a operar em meio aos escombros demolidos por algum tempo após a queda.

Foi um trabalho incômodo vasculhar os corpos mutilados da tripulação. Mas tinha que ser feito. As vestimentas Han, constatei, eram bem diferentes daquelas dos americanos e, em muitos aspectos, eram mais parecidas com os trajes aos quais eu estava acostumado na fase anterior da minha vida. Eram feitas de tecidos sintéticos como seda, calças soltas e confortáveis na altura do joelho e camisas sem manga.

Salvo contra as correntes de ar, nenhuma proteção era necessária, Wilma explicou-me que as cidades Han eram totalmente fechadas, com esplêndidos mecanismos de ventilação e aquecimento. Esses mecanismos, claro, eram igualmente adequados nas aeronaves. Os Hans, na verdade, tinham aversão à luz do sol, dado que seus equipamentos de iluminação difundiam uma quantidade controlada de raios ultravioletas, tornando assim a luz solar direta desnecessária para a saúde e indesejável para o conforto. Como não detinham o segredo do inertron, nenhum deles utilizava cintos antigravidade. No entanto, a despeito do fato de que sempre tinham de suportar seu peso total, eram fisicamente muito inferiores aos americanos, pois tinham uma vida de inércia física degenerativa, dispondo de máquinas de todo tipo para a execução de qualquer trabalho e meios de transporte convenientes para qualquer movimento que ultrapassasse alguns poucos passos.

Mesmo nos destroços arruinados da nave, pude ver que assentos, cadeiras e sofás exerciam uma função extremamente importante no esquema de existência deles.

Mas nenhum dos corpos estava acima do peso. Pareciam ter sido homens de boa saúde, mas cujos músculos eram bastante subdesenvolvidos. Wilma explicou-me que haviam dominado a ciência do controle de glândulas e, é claro, das dietas, a um ponto no qual alguns homens e mulheres entre eles atingiam a idade de cem anos com as artérias e a saúde no geral em condições esplêndidas.

Entretanto, não tive tempo para investigar a nave e seus conteúdos com o cuidado que gostaria. O tempo urgia, e tínhamos que descobrir alguma pista sobre a precisão letal com a qual a nave havia localizado os Wyoming.

O Chefe mal havia terminado sua organização do círculo de barragem, quando um dos batedores em um promontório ao norte anunciou a aproximação de sete naves Han, espalhadas em um grande semicírculo.

Hart saltou até a encosta, convocando-nos a fazer o mesmo, mas Wilma e eu havíamos levantado as abas de nossos capacetes e desligado nossos "receptores" para conversarmos entre nós, e, no momento em que descobrimos o que estava acontecendo, as naves estavam claramente à vista, de tão rápido que se aproximavam.

– Pulem! – ouvimos o Chefe ordenar. – Deering para o norte. Rogers para o leste.

Mas Wilma lançou-me um olhar cheio de significado e apontou para onde as placas retorcidas da nave, projetando-se do solo, ofereciam um abrigo.

– Tarde demais, Chefe – ela disse. – Eles nos veriam. Além disso, acho que existe algo que precisamos examinar. É provável que seja o mapa magnético deles.

– Vocês estão assinando sua sentença de morte – Hart avisou.

– Vamos arriscar – Wilma e eu respondemos juntos.

– Bom para vocês – devolveu o Chefe. – Assuma o comando, então, Rogers, pelo momento. Rapazes, vocês todos conhecem a voz dele?

Um coro de assentimento soou em nossos ouvidos, e comecei a pensar com rapidez enquanto a garota e eu nos abaixávamos sob a massa de metal retorcido.

– Wilma, procure a gravação – eu disse, sabendo que, pelo simples processo de falar, eu manteria o comando inteiro continuamente informado sobre a situação. – Vocês nas encostas, mantenham suas armas a postos nos círculos e aguardem. Vocês nos cumes, quantos estão aí? Falem em rotação partindo do Bald Knob ao redor, para o leste, o norte e o oeste.

Por sua vez, os homens responderam seus nomes. Havia vinte deles.

Designei-os pelo nome para acompanharem as diversas naves Han, numerando-as da esquerda para a direita.

– Apontem seus foguetes para os raios repelentes delas a cerca de três quartos para cima, entre as naves e a terra. A pontaria é mais importante que a elevação. Sigam aqueles raios com suas miras continuamente. Disparem quando eu mandar, não antes. Deering está com a gravação. Os Hans provavelmente não nos viram, ou pelo menos pensam que só há dois de nós no vale, já que estão se deslocando sem utilizar os raios desintegradores. Alguma sugestão?

Meus discos de ouvido ficaram em silêncio.

– Deering e eu ficaremos aqui até que eles aterrissem e desembarquem. Mantenham-se a postos e fiquem alertas.

Com rapidez e facilidade, a maior das naves Han desceu à terra. Três patrulhavam nitidamente ao sul, erguendo-se a um nível superior. As outras pairavam cerca de trezentos metros acima.

Espiando através de uma pequena fissura entre duas placas, vi o enorme casco da nave posicionando-se por inteiro na linha de nossa barragem circular invisível. Uma porta abriu-se com um ruído estridente a alguns metros do solo, e, um a um, cada integrante da tripulação emergiu.

CAPÍTULO 6
O "MASSACRE DE WYOMING"

— Eles estão saindo da nave – sussurrei, com minha mão sobre a boca, pelo medo de que pudessem me ouvir. – Um, dois, três, quatro, cinco, seis, sete, oito, nove. Parece que é tudo. Quem pode dizer quantos homens uma nave como essa é capaz de carregar?

— Cerca de dez, se não houver passageiros – respondeu um de meus homens, provavelmente um dos que estavam na encosta.

— Que armas estão usando? – perguntei.

— Só facas – veio a resposta. – Nunca permitem pistolas de raios nas naves. Medo de acidentes. Têm uma lei contra isso.

— Deixem-nos com a gente, então – eu disse, pois tinha elaborado rapidamente um plano em minha cabeça. – Vocês nas encostas, fiquem com as naves acima. Abandonem o alvo do círculo. Dividam-se e foquem aqueles raios repelentes. Vocês nos cumes, apontem para os repelentes das naves ao sul. Atirem quando eu disser, mas não antes.

– Wilma, rasteje para a sua esquerda até onde você puder dar um salto direto para a porta daquela nave. Todos esses homens estão andando ao redor dos destroços em grupo. Quando estiverem mais afastados, vou dar a ordem e você salta através da porta de uma vez só. Vou segui-la. Talvez não sejamos vistos. Vamos dominar o guarda que está dentro, mas não atire. Podemos escapar de sermos vistos tanto por essa tripulação quanto pelas naves acima. Elas não conseguem ver direito esses destroços.

Era tão fácil que parecia bom demais para ser verdade. Os Hans que saíram da nave andavam preguiçosamente ao redor dos escombros, falando em tons guturais, muito interessados nos destroços, mas sem suspeitar de nada.

Enfim eles chegaram ao lado mais afastado. Em um instante, abririam caminho em meio aos destroços.

– Wilma, salte! – eu quase sussurrei a ordem.

A distância entre o esconderijo de Wilma e a porta na lateral da nave Han não era maior do que cinco metros. Ela já estava agachada com os pés apertados contra uma barra de metal. Ajustando a elevação daquele maravilhoso cinto de inertron para seus cálculos, ela mergulhou de cabeça, como um projétil verde, na porta. Eu a segui em uma fração de segundo, de maneira mais desastrada, mas não menos veloz, ferindo um bocado meu ombro, porque ricocheteei na borda da entrada e, deslizando, fui de encontro à garota inconsciente; pois ela evidentemente tinha batido a cabeça na divisória da nave, abaixo da qual havia caído.

Nós tínhamos feito um pouco de barulho dentro da nave. Passos embaralhados aproximaram-se por uma passarela bem iluminada.

– Algum sinal de que fomos observados? – perguntei aos meus homens nas encostas.

– Ainda não – ouvi o Chefe responder. – As naves acima continuam no mesmo lugar. Nenhum raio foi disparado até agora. Os homens no solo estão absortos pelos destroços. A maioria deles saiu de nossas vistas.

– Bom – eu disse rapidamente –, Deering bateu a cabeça. Apagou. Um ou mais membros da tripulação estão se aproximando. Ainda não fomos descobertos. Vou cuidar deles. Guardem posição um pouco mais, mas estejam prontos.

Acho que minhas últimas palavras devem ter sido ouvidas pelo homem que se aproximava, porque ele parou de súbito.

Agachei-me no canto do compartimento, sem um movimento sequer. Eu não iria desembainhar minha espada se só houvesse um deles. Ele seria fraco, pensei, e eu conseguiria facilmente dominá-lo com minhas próprias mãos.

Aparentemente encorajado pela ausência de qualquer outro ruído, um homem apareceu em uma espécie de anteparo. E eu saltei.

Balancei as pernas na minha frente ao fazê-lo, atingindo-o em cheio no estômago e nocauteando-o.

Corri pela passarela metálica, procurando pela cabine de controle. Encontrei-a bem na ponta da nave. E estava deserta. O que eu poderia fazer para danificar os controles das naves que não registrariam os instrumentos de gravação de outras naves? Encarei a massa dos controles. Um emaranhado de alavancas e volantes. No centro do compartimento, em uma instalação massivamente reforçada, estava o que imaginei ser o gerador de raios repelentes. Nele, um disco brilhava e um suave rumor vinha de dentro de sua couraça metálica. Mas eu não tinha tempo para estudá-lo.

Acima de tudo, eu temia que existisse algum aparelho automático de telefone na cabine, por meio do qual eu pudesse ser escutado nas outras naves. O perigo de tentar danificar os controles era grande demais. Abandonei a ideia e me retirei com cuidado. Eu teria que assumir o risco de que não houvesse mais nenhum membro da tripulação a bordo.

Corri de volta para a entrada do compartimento. Wilma ainda estava no local onde caíra. Escutei vozes dos Hans se aproximando. Era hora de agir. Os próximos segundos diriam se as naves no alto tentariam ou seriam capazes de nos aniquilar.

– Vocês estão todos prontos, rapazes? – perguntei, arrastando-me a uma posição oposta à porta e sacando minha arma.

De novo houve um coro de assentimento.

– Então, no três, atirem naqueles raios repelentes, em todos eles, e, pelo amor de Deus, não errem. – E contei.

Acho que meu "três" saiu um pouco fraco. Sei que precisei de toda a minha coragem para proferi-lo.

Por um instante agonizante, nada aconteceu, com a exceção de que o grupo da nave aterrissada avançou em meu campo de visão.

Então, assustados, eles olharam para cima. Por um momento, permaneceram imóveis pelo horror causado por algo que viram.

Um deles atirou a faca contra mim. Ela resvalou na minha face. Então, dois deles correram em direção à entrada. Os outros os seguiram. Mas atirei à queima-roupa com minha arma curta, apertando o botão o mais rápido que pude e mirando em seus pés para garantir que meus foguetes explosivos fariam contato e realizariam seu trabalho.

As detonações de meus foguetes foram ensurdecedoras. O lugar onde estavam os Hans ardeu com um clarão capaz de cegar. Depois, não havia mais nada além de seus corpos despedaçados e mutilados. Eles estavam bem juntos uns dos outros, e consegui atingir todos.

Corri para a porta, esperando a todo momento ser despachado rumo ao infinito pelo golpe de um raio desintegrador.

A cerca de duzentos metros de distância, vi uma das naves caindo. Um raio desintegrador surgiu em meu campo de visão, balançou hesitante por um momento e então começou a varrer na direção da nave em que eu estava. Mas não chegou a alcançá-la. De repente, como uma luz desligando-se, disparou para o lado, e um segundo depois outra enorme massa caiu na terra. Olhei ao redor e então desci.

As únicas naves Han no céu eram as duas que patrulhavam o sul, que estavam perpendiculares no ar e projetando-se lentamente para baixo. As outras devem ter caído enquanto eu não ouvia nada por causa do som da explosão de meus próprios foguetes.

Alguém atingiu o outro raio repelente de uma das duas naves remanescentes e ela saiu de vista atrás de uma colina. A outra, mais distante, flutuava para baixo na diagonal, seu raio desintegrador sendo disparado perversamente no território abaixo.

Eu gritei de exultação e alívio:

– Retome o comando, Chefe! – exclamei.

Suas ordens despachando saltadores para perseguir a nave que descia soaram em meus ouvidos, mas não lhes dei atenção. Saltei de volta para o compartimento da nave Han e me ajoelhei ao lado de Wilma. Seu capacete acolchoado deve ter absorvido boa parte do golpe, imaginei; caso contrário, seu crânio poderia ter sido fraturado.

– Oh, minha cabeça! – ela gemeu, voltando a si enquanto eu a levantava delicadamente com meus braços e saía com ela para o céu aberto. – Devemos ter vencido, não é, querido?

– Com certeza vencemos – tranquilizei-a. – Todas as naves derrubadas, com exceção de uma, que está caindo ao sul; capturamos esta, intacta. Havia apenas um membro da tripulação quando mergulhamos aqui dentro.

Menos de uma hora depois, o Grande Chefe ordenou a todos que sintonizassem os ultrofones em três-vinte-três para captar uma transmissão traduzida do escritório de inteligência Han de Nu-yok feita pela estação de Susquanna. Tinha o formato de um aviso público, como um boletim de notícia e dizia o seguinte:

"Aqui é o Escritório de Inteligência Pública, Nu-yok, transmitindo um aviso para os pilotos de naves privadas, e notícias de interesse público. Um esquadrão de sete naves, que deixou Nu-yok nesta manhã para investigar a recente destruição da GK-984 no vale do Wyoming, foi derrubado por uma série de explosões misteriosas similares àquelas que arruinaram a GK-984.

"Os fones, os visores e todos os aparelhos de sinalização de cinco das sete naves deixaram de operar subitamente quase que ao mesmo tempo, por volta de sete-quatro-nove.

(De acordo com o sistema Han de calcular o tempo, sete e quarenta e nove centésimos depois da meia-noite.) Após violentos distúrbios, os localizadores deixaram de funcionar. Registradores de eletroatividade aplicados ao território do vale do Wyoming continuam inoperantes.

"O Escritório de Inteligência não tem qualquer indicação do tipo de desastre que se abateu sobre o esquadrão, com exceção de algumas evidências de fenômenos explosivos similares àqueles do caso da GK-984, que recentemente caiu enquanto emitia raios no vale em um esforço sistemático de aniquilar as atividades e os acampamentos dos tribais. O escritório deduz, obviamente, que os tribais desenvolveram uma nova, e ainda indeterminada, técnica de ataque às aeronaves, e recomendou ao Nascido no Paraíso que conceda autoridade imediata e irrestrita à Divisão de Inteligência de Navegação para realizar uma investigação dessa técnica e desenvolver contra ela uma defesa.

"Enquanto isso, é urgente que pilotos privados evitem esse território em particular, e que no geral mantenham-se o mais perto possível das rotas interurbanas oficiais, que agora estão sendo patrulhadas por toda a força do Escritório Militar, que está disparando raios fartamente em uma amplitude de 16 quilômetros. O Escritório Militar reporta que, no momento, não considera ataques retaliatórios aos tribais. Considera, em conjunto com a Divisão de Inteligência de Navegação, que, a não ser que surjam mais evidências da natureza do desastre no futuro próximo, o interesse público será mais bem servido, e a um menor custo de vidas, por uma pesquisa científica do que por tentativas de retaliação, que podem trazer destruição a todas as naves nelas envolvidas. Então, a menos que novas evidências de fato apareçam, ou que o Nascido no Paraíso ordene o contrário, os militares vão manter uma política defensiva.

"Comunicações não oficiais vindas de Lo-Tan dão a entender que o Conselho Divino está avaliando o assunto.

"O Escritório de Inteligência de Navegação permite a transmissão da seguinte condensação de suas observações detalhadas:

"O esquadrão procedeu a uma posição acima do vale do Wyoming onde se sabia estarem os destroços da GK-984, a partir do registro de seu localizador antes de ele deixar de funcionar recentemente. Lá, as retransmissões inferiores de projetoscópios de todas as naves registraram os escombros da GK-984. Imagens de teleprojetoscópio dos destroços e do bojo do vale não mostraram evidências das presenças dos tribais. Nenhum registro das naves ou da base revelou qualquer indício de eletroatividade, exceto a do próprio esquadrão. Sob ordens do Comandante da Base do Esquadrão, a LD-248, a LK-745 e a LG-25 patrulharam na direção do sul, a mil metros de altura. A GK-43, a GK-981 e a GK-220 mantiveram-se acima dos escombros, a 800 metros de altura, e a GK-18 aterrissou para permitir a inspeção pessoal dos destroços por parte do comitê científico. O grupo desembarcou, deixando um homem a bordo, na cabine de controle. Ele acionou todos os projetoscópios em foco universal, com a exceção do RB-3 (ou seja, o terceiro projetoscópio da base da nave, no lado direito do *deck* inferior), com o qual ele seguiu o grupo enquanto caminhava ao redor dos escombros.

"Os primeiros fenômenos anormais registrados por um dos instrumentos na Base foi aquele retransmitido automaticamente do projetoscópio RB-4 da GK-18, que, enquanto o grupo desaparecia de vista na parte de trás dos destroços, gravou dois mísseis verdes de forma aproximadamente cilíndrica, projetados dos escombros na direção do compartimento de pouso da nave. De uma distância tão próxima, os mísseis não apareceram claramente definidos, devido ao foco universal com o qual o projetoscópio estava operando. O Capitão de Base da GK-18 ordenou de imediato que o homem na cabine de controle investigasse, e o viu deixar a cabine para cumprir a ordem. Um instante depois, ruídos confusos chegaram ao eletrofone da cabine de controle, como os resultantes de um homem caindo pesadamente, e passos reaproximaram-se da cabine, tendo alguém entrado e saído dali apressadamente. O Capitão da Base agora crê, e as imagens do fotorregistro sustentam essa crença, que não foi o membro da tripulação que ficou na cabine de controle. Antes que o Capitão da Base pudesse falar-lhe, ele deixou a cabine, e não houve resposta ao sinal de alarme que ele emitiu por toda a nave.

"A essa altura, o projetoscópio RB-3 da nave, agora fora de controle de foco, mostrou vagamente o grupo em terra voltando para a unidade. O RB-4 mostrou-os com mais nitidez. Então, em ambos os instrumentos, várias explosões ofuscantes sucedendo-se rapidamente foram vistas, e as retransmissões de eletrofones registraram terríveis estrondos: o equipamento eletrônico e os projetoscópios da nave deixaram de funcionar.

"Relatos de Observadores e Líderes das Bases das outras naves, apoiados pelos registros fotográficos, revelam que as explosões ocorreram em meio ao grupo de terra quando ele voltava, evidentemente sem suspeitar, à nave. Então, em rápida sucessão, indicam que terríveis explosões ocorreram dentro e fora das três naves que se mantinham acima, próximas a seus raios repelentes, e todos os sinais vindos dessas unidades desapareceram.

"Das três naves patrulhando ao sul, a LD-248 sofreu uma fatalidade idêntica, no mesmo instante. Seus registros pouco acrescentam às informações sobre o desastre. Mas, nos casos da LK-745 e da LG-25, foi diferente.

"Os instrumentos de retransmissão da LK-745 indicaram destruição por uma explosão do gerador de raios repelentes traseiro, e que a nave se inclinou para baixo por pouco tempo, oscilando como um pêndulo. Os visores e indicadores dianteiros não deixaram de funcionar, mas seus registros são caóticos, exceto pela imagem de um projetoscópio, que mostra o bojo do vale, e a GK-981 caindo, mas nenhuma evidência visível dos tribais. O visor da cabine de controle também tem um registro caótico da tripulação tombando e caindo na direção da parede traseira. Então, o gerador de raios repelentes frontal explodiu, e todos os sinais desapareceram.

"O destino da LG-25 foi um pouco parecido, com a exceção de que essa nave ficou de nariz para baixo e flutuou à deriva com o vento de rumo sul, enquanto caía devagar, sem controle.

"Dado que a cabine de controle dessa nave fora destruída, um relato verbal de seu Capitão de Ações não foi possível. A gravação do visor interior traseiro mostra membros da tripulação escalando na direção do gerador de raios repelentes, em uma tentativa de estabelecer controle manual, e ampliar a altitude do voo. As retransmissões de projetoscópio, balançando em amplos arcos, não registraram nada de valor, salvo nas extremidades de suas oscilações. Uma dessas, de uma máquina que parecia ter sido colocada em foco telescópico, mostra várias imagens de grande valor ao retratarem as quedas das outras naves, e todos os registros dos projetoscópios traseiros permitem a reconstituição detalhada dos movimentos pendulares e de torção da nave, bem como sua projeção na direção da terra. Mas nenhuma imagem registrando a floresta abaixo contém qualquer indicação da presença dos tribais. Uma explosão eliminou os sinais dessa nave a uma altura de 300 metros, e em um ponto a seis quilômetros a sudeste do centro do vale."

Houve uma repetição do aviso a outros pilotos para evitarem o vale e a mensagem terminou.

CAPÍTULO 7
INCRÍVEL TRAIÇÃO

Depois de receber esse relatório e as reafirmações de apoio dos Grandes Chefes das gangues vizinhas, Hart ficou determinado a restabelecer a comunidade do vale do Wyoming.

Uma cuidadosa análise do território revelou que apenas as áreas ao norte e as encostas foram atingidas pelos raios da primeira nave Han.

As fábricas de tecidos sintéticos haviam sido parcialmente devastadas, apesar de os níveis subterrâneos mais profundos não terem sido alcançados pelo raio desintegrador. Acima, entretanto, a cobertura da floresta fora aniquilada, e foi ordenado que a abandonassem depois da remoção de todo o maquinário ainda útil e das evidências que pudessem interessar aos cientistas Han, caso voltassem ao vale no futuro.

A fábrica de munições e a de foguetes, que estava prestes a iniciar suas operações no momento do ataque, estavam intactas, assim como outras importantes instalações.

Hart convocou o Chefe de Acampamento de Susquanna e lhe apresentou novas coordenadas para as localizações dos acampamentos, espalhando-os mais afastados, ao sul, e evitando territórios que tivessem sido crestados pelos raios Han, bem como os locais dos destroços das naves inimigas.

Durante esse período, foi realizado um vigoroso monitoramento da comunicação Han, porque a fábrica de telefones foi uma das primeiras a serem colocadas em operação, e, quando se tornou evidente que os Hans não pretendiam qualquer represália imediata, todos os membros da comunidade foram chamados de volta, para retomar a vida normal.

Wilma e eu nos casamos no dia seguinte ao da destruição das naves e passamos um tempo em uma deliciosa lua de mel, acampando no alto das montanhas. Quando retornamos, tínhamos o nosso próprio acampamento para comandar, naturalmente. Fomos designados à localidade 1017. Como era de se esperar, divertimo-nos muito sobre qual de nós era Chefe de Acampamento. O cargo ficou em meu nome nos registros do Grande Chefe, é claro, mas Wilma alegrava-se ao defender que isso não significava nada – e geralmente ela era capaz de fazer com que eu concordasse, sempre que quisesse.

Eu me via como um verdadeiro membro da gangue agora, porque escolhera não procurar mais por outra aliança permanente, ainda que tivesse interesse em me familiarizar com essa vida do século 25 em outras áreas do território. Os Wyomings tinham uma disposição de ânimo elevada e haviam prosperado sob o comando do Grande Chefe Hart por muitos anos. Além disso, descobri que muitas gangues eram mal organizadas, precisavam de mãos firmes e autoridade e viviam em meio a intrigas. Pensei que era mais inteligente permanecer em um grupo que já havia comprovado sua cordialidade e no qual eu parecia ter perspectiva de progredir. Com essas condições sociais e econômicas modernas, o tipo de liberdade individual ao qual eu estava acostumado no século 20 era impossível. Eu seria uma completa nulidade em todas as áreas da relação humana se tentasse evitar alianças, como faria politicamente qualquer homem do século 20 que não se aliasse a nenhum partido.

Parecia-me que todo esse estilo de vida, julgando do meu antigo ponto de vista, era organizado de uma maneira que eu chamava de linhas "políticas". Eu me divertia muito ao pensar sobre como o uso da palavra "chefe" tinha se tornado universal. O líder, a pessoa no comando ou com autoridade sobre qualquer coisa era um "chefe". Havia tão pouca formalidade na sua relação com os seguidores quanto no caso de um chefe político do século 20, assim como ele demonstrava a mesma grande consideração pelos interesses de seu grupo. Não era nada mais do que um autocrata e, assim, dependia da popularidade geral de suas iniciativas para manter a autocracia.

O subchefe incapaz de comandar a lealdade de seus seguidores era rapidamente deposto, fosse por eles ou por seus superiores, como um líder de governo do século 20 que perdesse votos.

Da forma que a sociedade se organizava no século 20, não acredito que o sistema pudesse ter funcionado em qualquer esfera além da política. Eu tremo ao pensar o que teria acontecido caso tivéssemos tentado lidar com a Força Aérea Americana na Primeira Guerra Mundial dessa maneira, em vez de utilizar a rígida disciplina militar e o completo entendimento de que o indivíduo era uma mera engrenagem padronizada da máquina.

Depois de séculos de sofrimento enfrentando os Hans, o povo desenvolveu um espírito de sacrifício próprio e de consideração pelo bem comum, que tornou o esquema aplicável e eficiente em todas as formas de cooperação humana.

No entanto, cometo uma pequena heresia ao formular sobre tudo isso. Meus companheiros consideram o pensamento com o mesmo horror que muitas pessoas dignas do século 20 sentiriam em relação a qualquer sugestão herética de que o arcabouço original de governo estabelecido pela Primeira Constituição não se aplicava tão bem às condições do século 20 como àquelas do começo do século 19.

Anos depois, percebi que houve um certo abrandamento da fibra moral entre as pessoas, dado que os Hans e todos os seus traços tinham sido enfim destruídos; e os americanos desenvolveram uma nova economia da ostentação. Tenho visto sinais de um novo despertar de cobiça e egoísmo. O eterno ciclo parece estar em funcionamento. Noto que lenta, porém seguramente, bens privados estão reaparecendo e códigos de inflexibilidade estão se desenvolvendo. Eles serão seguidos por corrupção e degradação e, no final, algum evento catastrófico encerrará esta era para inaugurar uma nova.

Mas tudo isso está se afastando muito da minha história, que diz respeito às nossas primeiras batalhas contra os Hans, e não aos nossos problemas mais atuais de autocontrole.

A nossa vitória contra as sete naves Han colocou tudo em polvorosa. O segredo foi cuidadosamente comunicado às outras gangues e o território estava agitado de um extremo ao outro. Havia uma atividade febril nas fábricas de munição e a caçada de naves Hans dispersas tornou-se um entusiasmado esporte. Os resultados foram desastrosos para os nossos inimigos hereditários.

Da costa do Pacífico veio a notícia de que uma enorme aeronave transoceânica de 75 mil toneladas estava se aproximando de nós, aproveitando-se de uma posição privilegiada acima das nuvens, que impedia sua visualização do solo. Algumas pessoas de Sacramento avistaram os contornos nebulosos de seus raios repelentes aproximando-se diretamente deles, como pilares fantasmagóricos alcançando o céu. Com facilidade, acertaram foguetes na direção dos raios, o que teriam dificuldade de fazer se estivessem se movimentando por meio de ângulos retos em sua direção. Atingiram um raio repelente e o que sobrou não era suficientemente forte para manter a aeronave no ar. Ela flutuou na direção da terra, empinada para baixo e, como estava sem armamento e armadura, não houve dificuldades para destroçá-la e massacrar sua tripulação e seus passageiros. A mim pareceu bárbaro, mas eu não tinha séculos de amarga perseguição em meu sangue.

Das praias de Jersey recebemos notícias da destruição de aeronaves de carreira que iam de Nu-yok para A-lan-a. Os *Snipers* da Areia, praticamente invisíveis em seus trajes camuflados e enterrados pela metade ao longo das praias, permaneceram no aguardo por dias, arriscando serem atingidos por raios desintegradores durante a rota, mas por fim registraram quatro êxitos em uma semana. Os Hans interromperam o serviço nessa rota e, como uma evidência de que estavam muito abalados pelo nosso sucesso, não enviaram naves de ataque às praias.

Algumas semanas depois, o Grande Chefe me convocou. – Tony – ele disse –, há duas coisas que quero falar com você. Uma delas virá a público em alguns dias. Nós não vamos mais atacar as naves Hans atirando nos raios repelentes, a não ser que utilizemos foguetes muito maiores. Eles descobriram nosso segredo e estão colocando uma blindagem mais eficaz na carenagem das naves, abaixo das máquinas de raio repelente. Perto de Bah-flo, nesta manhã, um grupo de Eries disparou contra uma sem sucesso. As explosões fizeram com que a nave cambaleasse, mas não a derrubaram. Pelo que pudemos entender dos informes deles, os laboratórios dos Hans desenvolveram uma nova liga de grande força tênsil e elasticidade, mas que mesmo assim permite a passagem dos raios repelentes como uma peneira. Nossos relatórios indicam que os foguetes dos Eries não foram prejudiciais. A maioria do grupo foi aniquilada quando atingida pelos raios desintegradores – depois prosseguiu. – Isso quer dizer que em breve haverá empreendimento de verdade para todas as gangues. Nós, Grandes Chefes, acabamos de formar um conselho nacional via ultrofone. Decidimos que a América precisa se estruturar em nível nacional. A primeira iniciativa é desenvolver uma organização por zonas. Eu havia sido nomeado Super Chefe da Zona do Meio do Atlântico.

– Agora é para valer. Os Hans certamente enviarão expedições de represália. Se quisermos salvar nosso povo, precisamos mantê-los afastados de nossos acampamentos e fábricas. Estou pensando em desenvolver um campo de força permanente, conforme as linhas dos exércitos do século 20 de que você me falou. Terá uma tarefa dupla: levar a guerra o mais perto possível dos Hans e servir de isca para afastar a atenção deles de nossas fábricas. Precisarei da sua ajuda com isso.

– A outra coisa que quero falar com você é que, por incrível e impossível que pareça, existe um grupo, talvez toda uma gangue, entre nós, que está nos delatando para os Hans. Podem ser os Sangue Ruim ou pode ser alguma daquelas gangues que vivem perto de uma das cidades Han. Sabe, cerca de 115 ou 120 anos atrás, houve alguns ancestrais dessas pessoas que realmente se degradaram ao acasalarem com os Hans, às vezes até os servindo como escravos, nos dias anteriores ao momento em que o inimigo elevou as máquinas à perfeição.

– Há uma gangue assim, chamada Nagras, perto de Bah-flo, e outra no meio de Jersey chamada Pineys. Mas eu mal suspeito dos Pineys. Há pouca inteligência naquela gangue. Eles não teriam a informação certa para dar aos Hans nem seriam capazes de transmiti-la. São selvagens absolutos.

– Qual evidência existe de que alguém esteja repassando informações para os Hans? – perguntei.

– Bem – respondeu –, em primeiro lugar, houve aquele ataque contra nós. A primeira nave Han sabia a localização exata de nossas fábricas. Você se lembra de que ela voou direto para a posição acima do vale e começou a disparar raios de forma sistemática. A seguir, os Hans obviamente descobriram que estamos monitorando suas ondas de eletrofone, porque retornaram ao antigo, porém extremamente preciso, sistema de controle direcional. Mas nós os estamos acompanhando porque instalamos unidades automáticas de retransmissão ao longo das rotas de crestas. Assim é como chamamos aquelas faixas de terra diretamente abaixo das rotas regulares dos Hans, que por precaução frequentemente disparam nelas raios desintegradores para prevenir o crescimento de folhagem que possa nos abrigar. Mas eles têm disparado contra esses trajetos com tanta potência que parecem ter informação sobre a nossa estratégia. Além disso, têm utilizado códigos. Por fim, captamos três das mensagens deles nas quais discutem, com algum nervosismo, a existência de nosso "misterioso ultrofone".

– Mas eles ainda não têm conhecimento da natureza e do controle da atividade ultrônica? – questionei.

– Não – disse o Grande Chefe, pensativo. – Parece que não têm informação alguma a respeito.

– Então soa bem evidente – arrisquei – que, quem quer que esteja nos delatando para eles, faz isso pouco a pouco. Soa um pouco mais como um escambo ocasional do que como uma ampla aliança. Talvez estejam retendo o máximo de informação possível para uma futura troca.

– Sim – disse Hart –, e parece que não são informações que os Hans estão dando em troca, mas algum tipo de bens ou de privilégios. O truque seria localizar os bens. Acho que terei que fazer uma inspeção pessoal entre os Grandes Chefes.

CAPÍTULO 8
A CIDADE HAN

Essa conversa me fez pensar. Toda a comunicação via eletrofone dos Hans havia sido um documento aberto para os americanos por muitos anos, e eles acabavam de descobrir isso. Por séculos, não nos consideraram uma ameaça de qualquer tipo. Decerto nunca lhes ocorreu ocultar suas próprias gravações. Em algum lugar em Nu-yok ou Bah-flo, ou possivelmente na própria Lo-tan, a gravação desse traiçoeiro intercâmbio deveria estar mais ou menos abertamente mantida. Se ao menos pudéssemos acessá-la! Perguntei-me se um ataque não seria possível.

Bill Hearn e eu conversamos a respeito com nosso Chefe de Questões dos Hans e seus experts. Seguiram-se vários dias de pesquisa, nos quais os registros dos Hans de toda a década foram investigados e analisados. Ao final, eles selecionaram uma massa de dados, com a qual elaboraram um retrato bem definido do grande escritório de arquivamento dos Hans em Nu-yok, em que todo o conjunto de registros oficiais era mantido, constantemente disponível para ser transmitido por projetoscópio a qualquer momento para todos os escritórios da cidade e do sistema no qual a informação era arquivada. Essa iniciativa começou a parecer viável, embora Hart tivesse recusado imediatamente a ideia quando a apresentei a ele. Era impensável, ele disse. Mas consegui convencê-lo.

— Vou precisar — eu disse — de Blash, que conhece profundamente o sistema bibliotecário dos Hans; de Bert Gaunt, especializado nos escritórios militares deles; de Bill Barker, o especialista em raios; e do melhor piloto de *mergulhador* que temos.

Os *mergulhadores* são naves que levam apenas alguns homens, desenvolvidas pelos americanos, cuja carenagem é de inertron (durante as batalhas, é pintada de verde para se tornar invisível contra as florestas verdes abaixo) e a "barriga" é de ultron puro.

— Mort Gibbons é o melhor — Hart disse. — Só temos mais três *mergulhadores*, Tony, mas arriscarei utilizar um deles já que você e os outros estão arriscando suas existências voluntariamente. No entanto, não vou pedir ou ordenar que algum de vocês vá. Vou espalhar a notícia para todos os Chefes de Fábrica agora mesmo para dar a vocês tudo o que for preciso em termos de equipamento.

Quando contei o plano para Wilma, esperei que ela fizesse objeções violentas e suplicantes, mas não foi bem assim. Ela era mais endurecida do que as mulheres do século 20. Não que de vez em quando não chorasse tão copiosamente ou fosse tão caprichosa quanto àquelas mulheres; mas Wilma não choraria pelas mesmas razões.

Ela apenas me dirigiu um olhar insondável, no qual parecia haver um pouco de orgulho, e me perguntou com avidez sobre os detalhes. Confesso que estava um pouco desapontado com o fato de que ela encarava tão corajosamente minha eventual morte, embora estivesse maravilhado com a sua força. Depois eu ainda descobriria o quão pouco a conhecia na época.

Nós estávamos prontos para partir ao amanhecer do dia seguinte. Dera um beijo de adeus em Wilma em nosso acampamento, e, depois de uma revisão final de nossos planos, eu e os outros homens embarcamos na nave e deslizamos suavemente acima das copas das árvores em um trajeto que, após cruzar três rotas das naves Han, nos levaria para o oceano Atlântico, pela costa de Jersey, por onde chegaríamos a Nu-yok.

Por duas vezes tivemos que mergulhar e permanecer imóveis no solo perto de uma rota enquanto naves Han passavam. Foram momentos tensos. Se a parte traseira verde de nossa nave fosse avistada, seríamos desintegrados em um instante. Mas não fomos.

Uma vez sobre a água, entretanto, subimos em grandes curvas helicoidais de cerca de 15 mil metros de diâmetro, até que nosso altímetro registrou 16 mil metros. Nesse momento, Gibbons desligou o motor de propulsão, e nós flutuamos, muito acima do nível das aeronaves de carreira do Atlântico, cuja rota ia ao nosso norte, de qualquer forma, e esperamos pelo anoitecer.

Então Gibbons se afastou do controle por tempo suficiente para sorrir ironicamente para mim.

– Tenho uma surpresa para você, Tony – disse, abrindo a trava do que eu pensei ser uma enorme caixa de suprimentos. E, soltando um suspiro de alívio, Wilma apareceu ali.

– Se você vai "se zerar" – uma expressão comum naquela época para a aniquilação causada pelo raio desintegrador –, não pense que o deixarei ir sozinho, ok, Tony? Não consegui acreditar no que ouvi noite passada, quando falou em ir sem mim, até que percebi que você está quinhentos anos atrasado em vários sentidos. Por acaso não sabe, meu querido, que você lançou a mim o maior insulto que um marido pode fazer a uma esposa? Não sabe, é claro.

Os outros, pareceu-me, estavam todos envolvidos no plano e agora teriam debochado de mim sem qualquer piedade, se não fosse pelo olhar de Wilma, que resplandecia perigosamente.

Ao anoitecer, manobramos para uma posição bem em cima da cidade. Isso levou algum tempo e cálculo por parte de Bill Barker, que me explicou que tivera que determinar nossa localização por coordenadas ultrônicas. Qualquer manuseio de instrumentos eletrônicos, ele temia, poderia ser detectado pelos localizadores de nossos inimigos. Na verdade, não ousamos conduzir nosso *mergulhador* além da altura de oito quilômetros, por medo de que nossa massa pudesse ser localizada pelos instrumentos deles.

Por fim, no entanto, ele conseguiu nos posicionar acima da torre central da cidade.

– Se meus cálculos estiverem errados, por três metros que sejam – ele observou, confiante –, iremos com tudo para a torre. O restante agora é com você, Mort. Veja o que pode fazer para mantê-la estável. Não, aqui, veja este indicador, o feixe vermelho, não o verde. Vê? Se você o mantiver exatamente centrado na agulha, estará tudo bem. A largura do feixe representa cinco metros. A plataforma da torre tem 16 metros quadrados, então temos uma boa margem para trabalhar.

Por vários momentos, observamos enquanto Gibbons se inclinava sobre as alavancas, constantemente as ajustando com habilidade. Após oscilar um pouco, o feixe permaneceu centralizado na agulha.

– Agora – eu disse –, vamos lá.

Abri a porta e olhei para baixo, mas logo a fechei, ao sentir o ar correndo para fora da nave rumo à atmosfera rarefeita. Gibbons literalmente berrou em protesto de sua mesa de controle.

– Esqueci – balbuciei. – Que tolo eu sou. Claro, temos que descer pelo compartimento.

O compartimento era similar àqueles de alguns dos submarinos do século 20. Entramos nele e mal havia espaço para que ficássemos em pé, ombro a ombro. Com algum esforço, todos colocamos nossos capacetes aéreos e ajustamos a pressão. Ao nosso sinal, Gibbons esgotou o ar do compartimento, bombeando-o para o corpo da nave, e, quando o pequeno sinal luminoso piscou, Wilma abriu a escotilha.

Ajustando o carretel de fio de ultron, escalei-a e comecei a deslizar suavemente para baixo.

Claro, todos estávamos com os nossos cintos ajustados em um equilíbrio de peso de apenas algumas dezenas de gramas. E o carretel com oito quilômetros de fio de ultron que nos serviria de guia era da espessura de uma teia de aranha, ainda que, acredito eu, seria capaz de erguer o peso de nós cinco juntos, tão forte e resistente que era esse metal invisível. Como precaução extra, dado que o fio era do mais puro metal, e por isso totalmente invisível mesmo à luz do dia, nós enganchamos nossos cintos em pequenos aros que escorregavam por ele.

Eu desci com uma ponta do fio. Wilma me seguiu alguns metros acima, a seguir Barker, Gaunt e Blash. Gibbons, é claro, ficou para trás para manter a posição da nave e controlar a saída do fio. Todos estávamos com nossos ultrofones inseridos nos capacetes aéreos, então podíamos conversar uns com os outros e com Gibbons. Embora quiséssemos deixar o Grande Chefe nos escutar, por sugestão de Wilma, ajustamos os eletrofones para operar em alcance curto, por medo de que aqueles que nos delatavam para os Hans e contra os quais fomos em busca de evidências, pudessem captar a nossa conversa. Não temíamos que os Hans nos ouvissem. Na verdade, tínhamos a vantagem adicional de que, mesmo depois de aterrissarmos, poderíamos conversar livremente sem perigo de escutarem nossas vozes através dos capacetes aéreos.

Por algum tempo, não consegui ver nada além de escuridão absoluta. Então percebi, pela sensação do ar mais do que por qualquer outro motivo, que estávamos mergulhando em uma camada de nuvens. Passamos por mais duas camadas antes de conseguir enxergar alguma coisa.

Então surgiu diante de meus olhos, cerca de quatro mil metros abaixo, uma das mais belas visões com que já me deparei; o suave e cintilante esplendor da grande cidade Han de Nu-yok. Cada metro de sua estrutura parecia brilhar com maravilhosa incandescência, torre acima de torre, e tudo construído no vasto corpo da cidade, o qual, conforme me disseram, se projetava acima do nível do mar, a uma altura de 728 metros.

A cidade, constatei com alguma surpresa, não ocupava nem de perto a mesma área que a Nova York do século 20. Estendia-se, para falar a verdade, apenas pela metade inferior da ilha de Manhattan, com uma parte espraiada pelo rio East, espalhando-se o suficiente pelo que um dia foi o Brooklin, para fornecer hangares para as grandes aeronaves de carreira, entre outras.

Bem abaixo de meus pés, havia um pequeno fragmento escuro. Parecia ser o único ponto na cidade inteira que não ardia em esplendor. Era a torre central, cujos andares superiores abrigavam a vasta biblioteca de arquivos e a principal instalação de projetoscópios.

– Você pode disparar o fio agora – ultrofonei para Gibbons e soltei o pequeno peso que funcionava como puxador. Ele caiu como prumo, e o seguimos a uma velocidade considerável, mas freando às vezes nossa descida com as luvas para ver se o peso, no qual brilhava uma luz fraca como um sinal para nós, poderia ser avistado por qualquer guarda Han ou algum andarilho noturno. Quando nos sentíamos seguros, voltávamos a descer em velocidade acelerada.

Pousamos na cobertura da torre sem qualquer contratempo e, felizmente para os nossos planos, no escuro. Como não havia nada ali que valesse a pena ser iluminado, ou de onde se pudesse observar algo, os Hans haviam negligenciado instalar luzes no local, ou mesmo ocupá-lo de qualquer forma. Por isso o escolhemos como nosso ponto de aterrissagem.

Assim que Gibbons recebeu a ordem, apagou a luz do peso, e o objeto, assim como o fio, tornou-se totalmente invisível. Com uma nova ordem ultrofonada, ele a acenderia de novo.

– Não usem pistolas agora – avisei. – Apenas espadas, e caso sejam absolutamente necessárias.

Bem próximos uns dos outros, e pisando leve como apenas as pessoas com cintos de inertron eram capazes, seguimos nosso caminho com cuidado através de uma porta e descemos por uma rampa até o andar de baixo, no qual Gaunt e Blash garantiram estarem os escritórios militares.

Por duas vezes, Barker pediu para pararmos, porque passaríamos em frente de "janelas" espelhadas no corredor, e rastejamos pelo chão.

– Projetoscópios – disse ele. – A essa hora da noite, provavelmente estão apenas em gravação automática. Ainda assim, não podemos deixar qualquer registro para que analisem depois de nossa partida.

– Você já esteve aqui? – perguntei.

– Não – respondeu –, mas venho estudando as comunicações deles por eletrofone por sete anos e consigo reconhecer essas máquinas quando me deparo com elas.

CAPÍTULO 9
O COMBATE NA TORRE

Até então, não tínhamos visto nenhum Han. A torre parecia deserta. Blash e Gaunt, entretanto, garantiram-me que haveria ao menos um homem de "plantão" nos escritórios militares, ainda que ele provavelmente estivesse adormecido, e mais dois ou três nas instalações da biblioteca e dos projetoscópios.

– Temos que os colocar fora de combate – eu disse. – Você trouxe as latas de "narcóticos", Wilma?

– Sim – ela respondeu –, dois para cada. Aqui estão – disse e as distribuiu.

Agora estávamos dois ou três andares abaixo da cobertura, no ponto em que devíamos nos separar.

Eu não queria perder Wilma de vista, mas era necessário.

De acordo com o nosso plano, Barker iria até a instalação dos projetoscópios, Blash e eu, até a biblioteca, e Wilma e Gaunt, para o escritório militar.

Blash e eu atravessamos um longo corredor e paramos diante da grande porta em arco da biblioteca. Com cuidado, observamos o local. Sentados diante de três grandes quadros de distribuição, estavam os operadores da biblioteca.

De vez em quando um deles remexia preguiçosamente em alguma alavanca ou apertava sonolentamente um botão, enquanto pequenas luzes numeradas piscavam e apagavam. Estavam respondendo a pedidos de arquivos eletrográficos e de visores de todos os assuntos, vindos de todas as partes da cidade.

Informei meus companheiros da situação.

– Melhor esperarmos um pouco – Blash acrescentou. – As ligações vão diminuir em breve.

Wilma relatou que um guarda no escritório militar parecia adormecido.

– Use a lata nele, então – eu disse.

Barker devia apenas manter vigilância na instalação dos projetoscópios e nos informou estar bem escondido, com uma visão esplêndida de todo o andar.

– Acho que podemos arriscar agora – Blash me disse e, após um aceno meu, abriu a tampa da lata de narcótico. O vapor não nos afetava porque os capacetes nos protegiam. Era absolutamente inodoro e invisível. Em poucos segundos os bibliotecários estavam inconscientes e pudemos entrar no local.

Seguiram-se uma observação e alguns experimentos consideravelmente cautelosos por parte de Gaunt, atuando no escritório militar, e de Blash, na biblioteca; enquanto Wilma e eu, com as espadas desembainhadas e os microfones agudamente afinados, mantivemo-nos em guarda, e às vezes patrulhávamos os corredores por perto.

– Escuto algo se aproximando – Wilma disse após certo tempo, com a voz alterada. – É um barulho suave, deslizante.

– É um elevador – Barker interveio no andar do projetoscópio. – Você consegue localizá-lo? Não posso ouvi-lo.

– Está a leste de mim – ela respondeu.

– E a oeste de mim – eu disse, mal ouvindo o ruído. – Está entre nós, Wilma, e mais perto de você do que de mim. Blash e Gaunt, vocês já têm alguma informação a respeito?

– Coletando-a agora – um deles respondeu. – Dê mais dois minutos.

– Monitorem, então – eu disse. – Vamos manter a guarda.

O barulho suave e deslizante parou.

– Acho que está bem perto de mim – Wilma quase sussurrou. – Chegue mais perto, Tony. Tenho um pressentimento de que algo vai acontecer. Nunca vi meus nervos ficarem tensos assim sem motivo.

Um tanto alarmado, lancei-me pelo corredor em um grande pulo na direção da intersecção de onde eu sabia que podia vê-la.

No meio do meu salto, meu ultrofone registrou um suspiro de tensão dela. No instante seguinte, derrapei até parar na intersecção para ver Wilma recuando contra a porta do escritório militar, a espada tingida de sangue, e uma forma inerte no piso do corredor. Dois outros Hans estavam cercando-a com facas bizarras, enquanto um terceiro, evidentemente de maior patente, a julgar pela resplandecência de seus trajes, remexia-se desesperadamente para pegar um aparelho de eletrofone dentro de uma bolsa volumosa. Se ele disparasse um alarme, sabe-se lá o que poderia acontecer conosco.

Eu estava a pelo menos vinte metros de distância, mas me agachei e saltei com toda a força das minhas pernas.

Seria mais correto dizer que mergulhei, porque avancei de cabeça na direção do sujeito, sem sequer tentar recolher minhas pernas abaixo de mim.

Algum instinto deve tê-lo avisado, pois ele se virou de repente quando eu estava para atingi-lo. Mas a essa altura eu havia mergulhado no piso e fiquei ali, bem rígido, para que um joelho ou um pé arrastado evitasse que eu o alcançasse. Lancei minha espada para cima com um golpe rápido. Foi um talho perverso que abri nele, dividindo-o ao meio da virilha até o queixo, e o cadáver veio na minha direção enquanto rastejei até um ponto ao redor.

Os outros dois viraram-se, assustados. Wilma saltou sobre um deles e o derrubou com um golpe lateral da espada. Ergui o rosto nesse instante e registrei vividamente o medo confuso no rosto do Han ante a extensão do salto dela. Parecia que os Hans nada sabiam de nossos cintos de inertron. Nossos saltos e mergulhos os enchiam de terror.

Enquanto me levantava, todo ensanguentado, Wilma, com um equilíbrio e uma velocidade que tive tempo de admirar mesmo naquela crise, saltou de novo. Dessa vez, ela mergulhou de cabeça como eu havia feito e, com um impulso perfeitamente executado, cortou a garganta do último Han.

Hesitando, ela se levantou remexendo-se, cambaleou de forma estranha e, então, desabou suavemente no corredor. Havia desmaiado.

Ao mesmo tempo, Blash e Gaunt anunciaram com euforia que obtiveram a gravação que queríamos.

– De volta para a cobertura, todo mundo! – ordenei, enquanto erguia Wilma em meus braços. Com o cinto de inertron, ela estava leve como uma pluma.

Gaunt juntou-se a mim no mesmo instante, vindo do escritório militar, e na intersecção do corredor encontramos Blash nos esperando. Barker, no entanto, não estava à vista.

– Onde você está, Barker? – chamei.

– Podem seguir – ele respondeu. – Vou me juntar a vocês na cobertura em um instante.

Chegamos a céu aberto sem nenhum outro imprevisto, e instruí Gibbons na nave para acender o peso no final do fio de ultron. O objeto piscou suavemente a alguns metros afastado de nós. Nunca fui capaz de entender como o piloto manobrou a nave e manteve a nossa ponta da linha em posição sem que ela balançasse em um imenso arco. Se a noite não estivesse atipicamente tranquila, ele não teria conseguido reter os movimentos pendulares do início. Da forma como estava, havia consideráveis correntes de ar em alguns dos andares, e em diferentes direções também. Mas Gibbons era um mestre de rara habilidade e sensibilidade no manejo de uma nave propulsora, e conseguiu, com o auxílio de seus delicados instrumentos, antever as correntes antes de atingirem o finíssimo fio de ultron e neutralizá-las com pequenos deslocamentos na posição da nave.

Blash e Gaunt prenderam seus aros ao fio, eu fiz o mesmo com o meu e o de Wilma. Mas, olhando ao redor, vi que Barker ainda estava desaparecido.

– Barker, venha logo! – chamei. – Estamos esperando.

– Estou indo! – respondeu e, de fato, naquele instante, seu rosto apareceu na rampa. Ele riu enquanto prendia o ar ao fio e disse algo sobre uma pequena surpresa que havia deixado para os Hans.

– Não enrole o fio mais do que trinta metros – orientei Gibbons. – Vai demorar muito para trazê-lo para dentro. Nós flutuaremos para cima e, quando embarcarmos, podemos largá-lo.

Para flutuarmos para cima, tivemos que nos livrar de um pouco mais de um quilo de peso. Arremessamos nossas espadas para longe e nos livramos de nossos calçados, enquanto Gibbons enrolava um pouco a linha e, então, soltando o fio, começou a acelerar com uma velocidade crescente.

O golpe de ar despertou Wilma e, precipitadamente, expliquei-lhe que havíamos sido bem-sucedidos. Recuando bem abaixo de nós, pude ver nosso peso brilhando vagamente e balançando para lá e para cá em um arco cada vez mais amplo, enquanto atravessava vezes seguidas o quadrado negro da cobertura da torre. Como precaução extra, ordenei que Gibbons desligasse a luz e que acendesse uma na parte debaixo da nave, porque nossa velocidade agora era tão alta que comecei a temer que teríamos dificuldade para nos controlar. Estávamos praticamente caindo para o alto, e com uma aceleração terrível.

Por sorte, tivemos muitos minutos para solucionar essa dificuldade, que nenhum de nós, por mais estranho que pareça, havia previsto. Foi Gibbons que encontrou a resposta.

– Vocês ficarão bem se agarrarem o fio com força quando eu mandar – ele disse. – Em primeiro lugar, vou enrolá-lo a toda velocidade. Vocês só sentirão uma sacudidela. Então vou diminuir a velocidade de novo, gradualmente, e o peso de vocês vai trazê-los. Estão prontos? Um... dois... três!

Agarramos fortemente o fio com nossas mãos enluvadas quando Gibbons pediu. No entanto, devíamos estar subindo bem mais rápido do que ele pensava, porque isso fez com que nossos braços se esticassem consideravelmente e a manobra causou um movimento pendular nauseante.

Por algum tempo, tudo o que fizemos foi balançar em um arco que devia ter uns quatrocentos metros de diâmetro, a mais de cinco mil metros de altura da cidade, e ainda a mais de mil e quinhentos metros de nossa nave.

Com habilidade, Gibbons foi desacelerando e o nosso impulso puxou a linha para cima. Enfim retomamos o nosso controle e continuamos a jornada para o alto, de alguma forma monitorando nossa velocidade com as nossas luvas.

Não houve um de nós que não soltou um grande suspiro de alívio quando passamos desordenadamente e com segurança pela escotilha para dentro da nave, desfazendo-nos da linha de ultron e fechando a tampa.

Mal percebendo que teríamos uma experiência ainda mais terrível para enfrentar, discutimos as informações que Blash e Gaunt tinham extraído dos arquivos dos Hans, bem como a necessidade de ultrofonar para Hart o quanto antes.

CAPÍTULO 10
AS MURALHAS DO INFERNO

Os traidores, ao que parecia, eram de uma degenerada gangue de americanos, localizada a alguns quilômetros ao norte de Nu-yok, nos bosques à margem do Hudson, os Sinsings. Eles haviam trocado fragmentos de informação com os Hans por várias máquinas antigas de raios repelentes e o privilégio de sintonizar a transmissão eletrônica Han para operar, contanto que as naves deles concordassem em se submeter às ordens do escritório de tráfego dos Han durante o voo.

O restante do grupo quis passar as novidades via ultrofone imediatamente, posto que sempre havia o perigo de que poderíamos não voltar para a nossa gangue com as informações.

Eu me opus, no entanto, porque os Sinsings provavelmente interceptariam nossa mensagem. Mesmo se usássemos o projetor direcional, eles poderiam ter batedores a oeste e ao sul nas grandes extensões entregangues do território. Fugiriam para Nu-yok e escapariam da punição que mereciam. Era de vital importância que não conseguissem fazer isso, para servirem de exemplo para os outros grupos fracos entre as gangues americanas, assim como para evitar uma crise na qual eles poderiam fornecer mais informações vitais para o inimigo.

– Para o mar novamente – ordenei a Gibbons. – É menos provável que procurem por nós naquela direção.

– Calma, Chefe, calma – ele respondeu. – Espere subirmos mais um pouco. Eles devem ter descoberto evidências de nossa investida agora, e o raio desintegrador deles pode entrar em operação a qualquer momento.

Enquanto ele falava, a nave guinou para baixo e para um dos lados.

– Aí está ele! – gritou. – Segurem-se, todos. Vamos subir na vertical! – e inverteu completamente o controle do motor de propulsão.

Olhando por uma das janelas traseiras, pude ver um círculo nebuloso e luminoso, e por todos os lados a atmosfera assumiu uma vaga iridescência.

Estávamos quase acima do alcance destrutivo das muralhas do raio desintegrador, um cilindro oco de aniquilação disparando acima de um sólido círculo de geradores que cercavam a cidade. Era o principal meio de defesa dos Hans, que jamais havia sido utilizado, apenas em testes periódicos. Eles podiam ou não ter suspeitado que uma nave americana estava dentro do cilindro; provavelmente haviam acionado os geradores mais como precaução para evitar que alguém atingisse uma posição acima da cidade.

Porém, apesar de estarmos muito alto naquele momento, corríamos grande perigo. Não era uma questão de quanto poderíamos ser prejudicados pelos raios em si, porque seu alcance efetivo não ia além de doze mil metros mais ou menos. O maior perigo era a terrível corrente de ar projetando-se para baixo dentro do cilindro, para repor aquela que estava sendo aniquilada pelo contínuo disparo dos desintegradores. O ar caía dentro do cilindro com a força de um vendaval. Também estaria correndo na direção do cilindro vindo de fora com tremenda força, mas, naturalmente, o efeito se intensificava no interior.

Nossa nave vibrou e estremeceu. Tínhamos apenas uma chance de escapar: abrir caminho acima da corrente. Se fôssemos carregados para baixo por ela, inevitavelmente seríamos engolidos pela destruição em algum nível mais abaixo.

Contudo, de forma bastante gradual e aos arrancos, o nosso deslocamento para cima, conforme mostrado pelos indicadores, começou a acelerar, e, depois de uma hora de uma luta desesperadora, estávamos livres do turbilhão, nas rarefeitas esferas superiores. O terror abaixo de nós agora estava invisível por várias camadas de nuvens.

Gibbons conduziu a nave de volta a uma posição horizontal e a dirigiu para o leste, na direção de uma das auroras mais belas e luminosas que já vi.

Realizamos um grande círculo para o sul e o oeste, em um longo e tranquilo mergulho, com os motores de propulsão desligados para economizá-los ao máximo. Tínhamos gastado muito das reservas de combustível em nossa batalha. Agora, a atmosfera abaixo se clareava, e podíamos ver o litoral de Jersey muito abaixo, como um grande mapa.

– Ainda não terminamos – observou Gibbons de repente, apontando para seu periscópio e ajustando-o para o foco telescópico. – Uma nave Han, uma das pequenas, nos avistou. Se ela disparar aquele raio contra nós, estará tudo acabado.

Olhei fascinado para o visor. O que vi foi uma nave com o formato de um charuto, não muito diferente da nossa no design, e, dado o tamanho proporcional de suas janelas, com tamanho parecido ao dos nossos *mergulhadores*. Depois descobrimos que elas levavam tripulação, na maioria das vezes não mais do que três ou quatro homens. Tinham cascos e caudas aerodinâmicos que incorporavam um leme duplo de rabo-de-peixe com junta universal. Durante o voo, atingiam grandes alturas com seus poderosos raios repelentes e, então, obtinham velocidade com um mergulho vertical direto ou em declive, no qual às vezes usavam o raio repelente inclinado em um ângulo agudo. A nave já estava acima de nós, embora vários quilômetros ao norte. Ela podia, claro, tentar nos alcançar pela parte traseira e nos "estocar" com o raio enquanto caía de uma grande altura em nossa direção.

De repente, seu raio resplandeceu adiante com uma luz muito forte, movendo-se devagar para baixo, à nossa direita. A nave iniciou peculiares movimentos, como os de um saca-rolhas, evidentemente manobrando para conduzir seu raio na nossa direção com deslocamentos espirais.

Imediatamente Gibbons conduziu nossa nave em uma série de evoluções que devem ter parecido com os movimentos de uma galinha assustada. De forma alternada, ele usou os propulsores de foguete para a frente e para trás e em gradações variáveis. Nós sacudimos, disparamos repentinamente para a direita, depois para a esquerda e caímos como uma pluma em movimentos incertos. A todo momento a nave de patrulha Han fazia investidas contra nós, açoitando com determinação o ar ao redor com o raio. Em uma delas, o feixe passou bem abaixo de nós, a não mais de trezentos metros, e caímos com um sacolejo no sulco formado pela destruição do ar.

A nave havia chegado a pouco mais de um quilômetro de nós e estava se aproximando com a velocidade de um projétil quando veio o desfecho. Gibbons sempre jurou que foi pura sorte. Talvez tenha sido, mas eu gosto de pilotos que são sortudos assim.

No meio de uma de nossas manobras atordoadas e rodopiantes, com a nave Han aproximando-se diante dos nossos olhos com terrível rapidez e seu raio lentamente varrendo a nossa frente, o que parecia ser a destruição certeira em poucos instantes, vi os dedos de Gibbons sacudirem a alavanca do disparo de foguetes e, em uma fração de segundo depois, a nave Han tombou como um pombo de argila.

Nós cambaleamos e nos agitamos loucamente por algum tempo enquanto Gibbons lutava para retomar o equilíbrio da nave. Uma parte de cerca de cinco metros quadrados na lateral dela, perto da cauda, desmoronou como metal enferrujado. O raio Han, na verdade, nos atingiu, mas nosso foguete explosivo o pegou um milésimo de segundo antes.

Parte do nosso leme havia sido destruída e o motor fora danificado, mas conseguimos arremeter lentamente através de Jersey, por sorte cruzando as rotas sem avistar nenhuma outra nave Han, e finalmente chegando à pequena clareira abaixo das árvores, perto do acampamento de Hart.

CAPÍTULO 11
O NOVO CHEFE

Nós tínhamos ultrofonado para informar nossa chegada e o próprio Grande Chefe, cercado pelo Conselho, estava a postos para nos receber e se atualizar das notícias. Em troca, fomos informados de que, durante a noite, um bando de invasores dos Sangue Ruim, disfarçados sob o emblema dos Altoonas, uma gangue que fica a certa distância a oeste de nós, destruiu vários de nossos acampamentos antes que nosso povo os atacasse e expulsasse. O objetivo, evidentemente, era nos lançar contra os Altoonas. Por sorte, um dos nossos reconheceu o líder Sangue Ruim, que havia sido morto.

O Grande Chefe tinha mobilizado toda a força de ataque da gangue e estava a ponto de liderar uma expedição para eliminar os Sangue Ruim.

Olhei ao redor, para o sinistro círculo de subchefes, e percebi que o destino da América, naquele momento, estava em suas mãos. O temperamento deles impunha a imediata utilização de todos os nossos esforços para retaliar aquela invasão. Mas as exigências estratégicas, a meu ver, muito claramente demandavam a urgente e absoluta eliminação dos Sinsings. Seria apenas questão de horas, pelo

que sabíamos, para que esse povo degradado passasse pistas dos segredos ultrônicos dos americanos para os Hans.
– Quão grande é a nossa força? – perguntei a Hart.
– Todo homem e mulher que estiver disponível – respondeu. – Isso nos dá setecentos homens casados e solteiros e trezentas mulheres, mais do que toda a gangue dos Sangue Ruim. Todos estão equipados com cintos, ultrofones, pistolas de foguete, espadas e loucos para lutar.

Refleti sobre como eu poderia colocar a questão para esses homens determinados. Estava vagamente consciente de que eles esperavam por minhas palavras.

Por fim, comecei a falar. Até hoje não me lembro exatamente do que disse. Falei com calma, com a devida consideração pelos seus ânimos exaltados, mas com profunda convicção. Repassei as informações que havíamos coletado, ponto a ponto, elaborando o meu argumento na base da lógica e pintando um sinistro quadro do perigo iminente existente naquela meia aliança entre os Sinsings e os Hans de Nu-yok. Tornei-me exaltado, culminando, acredito, com um voto de investir sozinho contra os inimigos hereditários da nossa raça, "caso os Wyomings estivessem cegamente engajados em colocar uma contenda de gangues na frente da honra e do dever e das esperanças de toda a América".

Enquanto eu concluía, uma grande calma se apossou de mim, como de alguém imparcial. Eu havia me sentido assim durante várias crises na Primeira Guerra Mundial. Encarei rosto a rosto, tentando ler suas expressões, em uma disposição de cumprir minha ameaça sem maiores arroubos heroicos se a decisão fosse contrária a que eu indicara.

Entretanto, foi Hart que sentiu o temperamento do Conselho mais rápido do que eu e olhou para além do círculo, na direção do futuro.

Ele se levantou do tronco de árvore no qual estava sentado e começou:

– Isso resolve as coisas – disse, olhando ao redor pelo círculo. – Tenho sentido algo acontecendo já faz algum tempo. Tenho certeza de que o Conselho concorda comigo que há entre nós um homem mais capaz do que eu para liderar a gangue Wyoming, apesar de sua desvantagem de ter tido pouquíssimo tempo para se familiarizar com nossos métodos e instalações modernos. Tudo o que estiver em meu alcance para apoiar a efetiva liderança desse homem, a qualquer custo, juro fazê-lo.

Quando concluiu, ele avançou para onde eu estava e, retirando da cabeça o capacete de crista verde que constituía o distintivo de seu cargo, para minha surpresa, colocou-o em minha mão mecanicamente estendida.

O rugido de aprovação que irrompeu dos membros do Conselho me deixou aturdido. Alguém passou a notícia por ultrofone para o resto da gangue e, apesar de as abas em meus ouvidos estarem viradas para cima, pude ouvir os aplausos com que meus seguidores invisíveis me receberam, de encostas, fábricas e acampamentos próximos e distantes.

Minha primeira iniciativa foi certificar-me de que o Chefe de Telefone, ao comunicar a notícia para os membros da gangue, não tivesse retransmitido meu discurso nem mencionado meu plano de mudar o ataque aos Sangue Ruim para os Sinsings. Fiquei aliviado quando ele me garantiu que não havia passado a informação, porque isso teria arruinado todo o plano. Tudo dependia da nossa habilidade de surpreender os Sinsings.

Por fim, pedi que o Conselho e meus companheiros jurassem segredo e permiti que fizessem crer que nos projetaríamos nos ares e nas árvores contra os Sangue Ruim. Esse grupo devia estar muito assustado, pela forma como andavam "queimando" o éter com álibis e propaganda via ultrofone em benefício das gangues mais distantes. Era o velho truque dos Sangue Ruim, o único motivo pelo qual tinham conseguido evitar serem exterminados há muito tempo pelos vizinhos mais próximos: esses apelos ao espírito de fraternidade americana, dirigidos a gangues afastadas demais para terem com eles o tipo de experiência com eles que nos coube.

Eu ri. Aí estava outra boa razão para a mudança em meus planos. Caso fôssemos empreender o extermínio dos Sangue Ruim de uma vez só, teria sido um trabalho duro convencer algumas gangues de que tínhamos justificativa e não havíamos sido precipitados. Ressentimentos e preconceitos existiam. Havia gangues que concederiam o benefício da dúvida aos Sangue Ruim, e a questão agora estava inevitavelmente obscurecida pelas mentiras espertalhonas que eram transmitidas em uma corrente ininterrupta.

Mas o extermínio dos Sinsings seria outra coisa. Em primeiro lugar, eu esperava que não houvesse sinal de nossa ação até que tudo estivesse terminado. Em segundo lugar, nós teríamos provas irrefutáveis do tráfico com os Hans, na forma das naves de raios repelentes e de outras parafernálias deles, e o *status* mental dos americanos, na época sobre a qual escrevo, considerava o tráfico com os Hans uma coisa muito mais hedionda do que uma rixa entre gangues, mesmo que violenta.

Convoquei uma sessão executiva do Conselho imediatamente. Queria um inventário de nossos recursos militares.

Criei um cargo no mesmo instante, o de "Chefe de Controle", e nomeei Ned Garlin para ele, passando seu posto anterior de Chefe de Fábricas para seu assistente. Senti que precisava de alguém para ligar os registros de várias atividades funcionais da batalha e para quem eu transmitisse a tarefa de cuidar dos arquivos deles até o momento certo.

Recebi relatórios dos chefes das unidades ultrofônica, de alimentos, transporte, equipamento de combate, atividade eletrônica e inteligência eletrofônica, ultroscópios, patrulha aérea e guarda de contato.

Minhas ideias para a batalha, é claro, estavam contaminadas pela minha experiência no século 20, e me vi às voltas com a tarefa de elaborar uma formação que fosse um conjunto dos melhores e mais facilmente aplicados princípios de eficiência militar, como eu os conhecia do ponto de vista da praticidade imediata.

O que eu queria era uma formação especializada funcionalmente, não como indicado, mas dos seguintes pontos de vista: conhecimento sobre as atividades dos Sinsings; conhecimento das atividades dos Hans; domínio da comunicação com as minhas próprias unidades; cooperação no campo do comando; e perfeita mobilização de recursos e suprimentos de emergência.

Foram necessárias várias horas de trabalho duro com o Conselho para mapear o plano. Em primeiro lugar, designamos experts funcionais para cada "divisão", de acordo com as necessidades delas. Então eles foram, por sua vez, designados pelos novos Chefes de Divisão aos Comandos de Campo conforme era preciso, ou para Unidades Independentes, ou do QG. As duas divisões de inteligência foram batizadas como Branca e Amarela, a primeira sendo especializada no inimigo americano, e a outra, nos mongóis.

A divisão encarregada de nossas próprias comunicações, da definição de frequências e potências de ultrofone e da manutenção de operadores e de equipamento batizei de "Comunicações".

Nomeei Bill Hearn para o posto de Chefe de Campo, encarregado das principais unidades, ou das não destacadas, e, para a Divisão de Recursos, atribuí toda a responsabilidade pelas poucas naves que tínhamos; e todos os desafios de transporte e suprimentos designei a "Recursos". Os chefes funcionais ficaram com essa divisão.

Finalmente completamos nossa organização com a nomeação de representantes de conexão entre as várias divisões, conforme necessário.

Assim, eu tinha uma "Equipe de QG", composta pelos Chefes de Divisão, que reportavam diretamente para Ned Garlin, o Chefe de Controle, ou para Wilma, a minha assistente pessoal. Cada um dos Chefes de Divisão tinha uma pequena equipe própria.

Na contagem final de nosso pessoal e de nossos recursos, descobri que tínhamos no máximo mil "soldados", dos quais cerca de trezentos e cinquenta estavam no que chamei de Divisão de Serviços, e o restante, na Divisão de Campo de Bill Hearn. Este último contingente, contudo, foi reduzido pela designação de várias pequenas unidades para o serviço destacado. Ao todo, estimei que a verdadeira força militar seria de cerca de quinhentos homens e mulheres, no momento em que de fato fôssemos à luta.

Nós tínhamos apenas seis pequenos mergulhadores, mas eu carregava um engenhoso plano na mente, como resultado da nossa pequena invasão em Nu-yok, que faria com que fossem o suficiente, já que as reservas de blocos de inertron eram maiores do que esperava. A Divisão de Recursos, ao preparar as caixas de suprimento um tanto espremidas, ou ao colocar nelas blocos extras de inertron, foi capaz de reduzir cada uma a um peso de poucos gramas. Elas poderiam facilmente flutuar e ser rebocadas pelos mergulhadores em qualquer quantidade. Engatadas em linhas de ultron, seria virtualmente impossível que se soltassem.

Todos, é claro, estavam equipados com saltadores e, se cada homem e mulher fosse cuidadoso o suficiente para ajustar corretamente o equilíbrio, poderiam ser rebocados pelo ar, segurando-se a fios de ultron balançando abaixo dos mergulhadores, ou esticados atrás deles.

Isso não seria nada cansativo, porque a tensão não seria maior do que a de se carregar pesos de um ou dois quilos na mão, exceto pela fricção do ar em alta velocidade. Porém, para me assegurar duplamente de que não perderíamos ninguém, dei ordens estritas para que os cintos e as linhas de reboque fossem equipados com aros e ganchos. Tão grandes foram a eficiência da organização fundamental e a disciplina da gangue, que conseguimos partir ao anoitecer.

Um por um, os mergulhadores ergueram-se no ar, cada um seguido por seu longo comboio ou "rabiola de pipa" de pessoas e caixas de suprimentos penduradas suavemente nas linhas de reboque. Por conveniência, os fios rebocadores eram feitos de uma liga de ultron que, diferentemente do próprio metal, era visível.

De início, essas "rabiolas" penderam para baixo, mas, conforme as naves assumiram formação e projetaram-se para o leste na direção do território dos Sangue Ruim, ganhando velocidade, começaram a esticar para trás. E, balançando abaixo de cada nave em linhas carregadas de peso, observadores de ultroscópio, ultrofone e a olho nu cuidadosamente esquadrinhavam o espaço, enquanto homens da inteligência nos mergulhadores acima inclinavam-se sobre suas mesas de controle e visores.

Deixando o Chefe de Controle Ned Garlin temporariamente encarregado do comando, Wilma e eu nos soltamos por uma linha pesada de nossa nave e deslizamos meio caminho abaixo na direção dos vigias inferiores, ou seja, cerca de trezentos metros. A sensação de flutuarmos rapidamente pelo ar daquela forma, com absoluta segurança e confiança no cinto de inertron, foi de um deleite sem fim para mim.

Nós subimos de novo para dentro do mergulhador, conforme a expedição se aproximava do território dos Sangue Ruim, e coordenamos as preparações para o bombardeio. Era parte do meu plano fazer parecer que conduziríamos o ataque como planejado originalmente.

Por volta de 25 quilômetros dos acampamentos deles, nossas naves pararam e mantiveram posição por algum tempo com os lentos estouros dos motores de propulsão, para dar aos operadores de ultroscópio chance de fazer uma investigação completa do território abaixo de nós. Era muito importante que esse próximo passo da nossa programação fosse conduzido com o máximo de sigilo.

Após algum tempo, eles reportaram que o terreno abaixo de nós estava completamente limpo de qualquer traço de ocupação humana, e uma unidade armada com especialistas em longo alcance foi baixada com uma dúzia de armas de foguete, equipadas com dispositivos automáticos especiais que a Divisão de Recursos havia desenvolvido a meu pedido, algumas horas antes da partida. Eram dispositivos de pontaria e contagem regressiva. Depois de calculados cuidadosamente o alcance, a elevação e a carga de foguetes, as armas foram deixadas lá, ocultas em uma ravina, e os homens foram puxados de volta para a nave. Em uma hora predeterminada, aquelas armas de foguete começariam a bombardear automaticamente as encostas dos Sangue Ruim, alterando suavemente a mira e a elevação após cada disparo, assim como fizeram muitas de nossas artilharias na Primeira Guerra Mundial.

Enquanto isso, dirigimo-nos para o sul por cerca de trinta quilômetros e aterrissamos, esperando pelo início do bombardeio antes de tentarmos nos deslocar pela rota Han. Por segurança, eu contava com a distração que o bombardeio pudesse causar nos vigias dos Hans.

Foi uma espera tensa, mas o arranjo procedeu conforme planejado. O nosso esquadrão subiu pela rota a uma altura suficiente para permitir que as caudas de soldados e caixas de suprimentos observassem todo o território.

Ao atravessarmos a segunda rota, ao largo das praias de Jersey, não fomos tão bem-sucedidos em escapar da vigilância. Uma nave Han surgiu acelerando em uma elevação bem baixa. Nós a captamos em nossos localizadores de posição e direção e a visualizamos em nossos ultroscópios também, mas ela vinha tão rápido e baixo que achei melhor permanecermos onde havíamos aterrissado na segunda vez, e ficarmos em silêncio, em vez de seguir adiante e passar na frente da nave.

O ponto era esse. Enquanto os Hans não tinham dispositivos como os nossos ultroscópios, com os quais podíamos enxergar no escuro (com algumas limitações, claro), e como os instrumentos eletrônicos deles seriam virtualmente inúteis para revelar a nossa presença, dado que todas as atividades, menos as eletrônicas, foram cuidadosamente eliminadas de nossos equipamentos, exceto receptores eletrofônicos (que não são facilmente localizáveis), os Hans tinham alguns aparelhos sonoros muito sensíveis, que operavam com grande eficiência em climas amenos, tanto quanto possível no que abrangia sons emanando pelo ar. Mas os "ruídos do solo" confundiam muito o uso desses instrumentos durante a localização de sons específicos flutuando para cima vindos da superfície da terra.

Aquela nave deve ter captado algum leve barulho nosso, contudo, em seus sensíveis instrumentos, porque ouvimos seus aparelhos eletrônicos entrando em operação e pegamos o relatório de rotina do ruído para o Comandante de Base da Nave. Entretanto, dada a natureza da conversa, julguei que eles não nos identificaram e estavam, na verdade, mais curiosos sobre as detonações que estavam captando vindas das terras dos Sangue Ruim a uns 90 quilômetros a oeste.

Imediatamente depois de a nave ter disparado para longe, voltamos para o ar e, seguindo boa parte da mesma rota que havíamos tomado na noite anterior, subimos em um longo semicírculo sobre o oceano, oscilamos na direção norte e, por fim, a oeste. Estabelecemos nossa rota, entretanto, na direção da terra dos Sinsings ao norte de Nu-yok, em vez da cidade em si.

CAPÍTULO 12
O DEDO DA CONDENAÇÃO

Enquanto cruzávamos o rio Hudson, a alguns quilômetros ao norte da cidade, lançamos várias unidades da Divisão Amarela de Inteligência, com todo o equipamento. As caixas de aparatos dela estavam bem balanceadas em apenas algumas dezenas de gramas cada, e os homens usavam seus paraquedas para atenuar a descida.

Nós cruzamos novamente o rio a uma distância um pouco maior e começamos a lançar as unidades brancas de Inteligência e algumas das unidades de armas de longo e curto alcance. Então mantivemos nossa posição até começarmos a receber informes. Gradualmente circundamos o território dos Sinsings. Nossas unidades de observação trabalhavam pesada e pacientemente com seus localizadores e outros instrumentos, tanto pelo alto quanto no chão, até que Garlin finalmente se virou para mim com a seguinte afirmação:

– O mapeamento em círculo está completo agora, Chefe. Temos localizações seguras por todos os lados ao redor deles.

– Deixe-me vê-lo – respondi, e analisei o mapa no visor iluminado, com seus pequenos círculos sobrepostos de luz que indicavam locais considerados seguros pelo inimigo por observação ultroscópica.

Acenei para Bill Hearn:

– Vá em frente agora, Hearn – eu disse –, e posicione seus homens de barragem.

Ele falou em seu ultrofone e três das naves começaram a deslizar em um amplo círculo ao redor do território inimigo. Em intervalos de segundos, com a ordem de seu Chefe de Unidade, um artilheiro soltava o fio e, acionando a fivela de seu paraquedas, deslizava escuridão abaixo.

Bill formou duas linhas, paralelas ao rio e diante dele, envolvendo todo o território do inimigo abaixo delas. Acima e abaixo, varrendo o rio, havia duas linhas de defesa. Elas deveriam apenas manter suas posições. As demais deveriam se aproximar uma da outra, conduzindo uma barragem altamente explosiva oito quilômetros adiante delas. Quando as duas barragens se encontrassem, ambas as linhas deveriam mudar para barragens de visão de curto alcance e continuar a emboscar qualquer inimigo que pudesse ter escapado da cortina de fogo anterior.

Enquanto isso, Bill manteve sua reserva, uma divisão de cem homens selecionados (os mesmos que acompanharam Hart e eu em nosso combate contra o esquadrão Han) no ar, divididos mais ou menos igualmente entre as "rabiolas" de quatro naves.

Uma última chamada geral, por unidades, companhias, divisões e funções, estabeleceu que todas as nossas forças estavam em posição. Nenhuma atividade Han foi relatada e nenhuma transmissão deles indicou qualquer suspeita sobre nossa expedição. Tampouco havia qualquer indicação de que os Sinsings tinham algum conhecimento do destino que os aguardava. A atividade ociosa de raios repelentes foi relatada vinda do centro de seu acampamento, obviamente das naves que os Hans haviam dado a eles – o preço da traição à raça a que pertenciam.

Novamente dei a ordem, e Hearn passou-a a seus subordinados.

Muito abaixo de nós e vários quilômetros à direita e à esquerda, as duas linhas de barragem surgiram. Da grande altura que havíamos atingido, pareciam como linhas de luzes brilhantes, piscantes, e as detonações eram abafadas pela distância como uma espécie de estrondos de trovões distantes. Hearn e seus assistentes estavam muito ocupados: mediam, calculavam e enviavam ordens por ultrofone para os comandantes das unidades, a fim de que realizassem o estreitamento das linhas e fechassem as lacunas das barragens.

O Chefe da Divisão Branca relatou a mais intensa confusão na organização Sinsing. Eles eram, como se poderia esperar, uma gangue ineficiente, vagamente disciplinada, e transmitiam pedidos de socorro para as gangues ao redor. Ignorando o fato de que os mongóis já não usavam explosivos há muitas gerações, chegaram à conclusão de que estavam sendo atacados pelos Hans. Suas transmissões históricas persistiram nessa hipótese, a despeito das nervosas investigações eletrofônicas dos próprios Hans, que evidentemente ouviam o som da batalha e estavam tentando localizar o problema.

Nesse momento, o mergulhador que eu enviara ao sul, na direção da cidade, entrou em ação para confundi-los e manter os Hans em sua casa. Sua "rabiola", repleta de artilheiros de longo alcance, utilizando os foguetes mais explosivos que tínhamos, balançava invisível na escuridão do céu e bombardeou a cidade a uma distância de cerca de oito mil metros. Com uma cidade inteira contra a qual disparar, e com o objetivo de causar o máximo de comoção possível, independentemente dos danos de fato, os artilheiros não encontraram dificuldade para cumprir a missão. Naquele momento eu podia ver a luminosidade da cidade e os clarões agudos dos foguetes explodindo. Por fim, os Hans, sem saber o que estava acontecendo, retrocederam a uma estratégia defensiva e dispararam seu "cilindro infernal", ou as muralhas de raios desintegradores virados para o alto. Isso, claro, encerrou o nosso bombardeio. Os raios eram uma defesa perfeita, desintegrando nossos foguetes ao serem atingidos.

Se eles não tivessem enviado naves antes de acionar os raios nem houvesse algumas delas em um raio suficiente já no ar, tudo estaria bem.

Indaguei Garlin a respeito disso, mas ele me assegurou que a Inteligência Amarela não reportou indícios de naves Hans a menos de 1.400 quilômetros. Isso provavelmente nos daria folga por algum tempo, dado que a maioria dos instrumentos deles operava mal ou nem sequer operava através das paredes da morte.

Requisitando um dos visores da nave-mãe e os serviços de um expert, instruí-o a focalizar nas linhas abaixo. Eu queria um primeiro plano dos homens em combate.

Ele começou a manipular os controles e sombras caóticas movimentaram-se rapidamente na tela, entrando e saindo de foco, até alcançar uma configuração que me forneceu uma imagem do solo da floresta de cerca de trinta metros de largura, com galhos e folhagens de árvores surgindo como sombras que se fundiam alguns metros acima da terra.

Observei um homem montando sua arma de longo alcance com habilidosa rapidez. Seus lábios se franziam como se ele estivesse assobiando enquanto ajustava o alto tripé no qual o longo tubo se escorava. Rapidamente girou os botões que controlavam a pontaria e a elevação da arma.

Então, erguendo um cinto de munição da grande caixa, que por si só parecia pesado o suficiente para quebrar o tripé, ele inseriu uma extremidade do cinto no fecho do tubo e acionou a combinação correta de botões.

A seguir, postou-se de lado e se ocupou em espiar cuidadosamente em meio às árvores adiante. Sequer um tremor balançou o tubo, mas eu sabia que em intervalos de menos de um segundo ele estava descarregando pequenos projéteis que, viajando sob seu próprio poder continuamente reduzido, formavam arcos no ar, para atingir exatamente oito quilômetros adiante e explodir com a força de morteiros de dezesseis centímetros, como os usados na Primeira Guerra Mundial.

Outro artilheiro, a cerca de quinze metros à sua direita, acenou com a mão e lhe disse algo. Então, pegando seus próprios tubos e o tripé, aferiu a distância entre as árvores à sua frente e a altura dos galhos mais baixos e, curvando-se adiante um pouco, flexionou os músculos e saltou suavemente, cerca de sete metros. Outro salto o levou por mais seis metros, onde começou a montar sua arma.

Ordenei ao meu observador que mudasse para a própria barragem. Ele obteve um bom foco dela, mas a tela mostrava pouco além da contínua sequência de luzes cegantes, que, no visor, iluminavam todo o interior da nave. Um foco de 250 metros provou-se melhor. Eu pensava que algumas das artilharias francesas e americanas do século 20 haviam atingido o topo em precisão matemática dos disparos, mas nunca tinha visto algo parecido com a acuidade daquela linha de terríveis explosões conforme ela se deslocava constantemente adiante, ceifando árvores como uma foice corta a grama (ou costumava cortar 500 anos atrás), literalmente revirando a terra e os destroços estilhaçados e aniquilados da floresta gigante, a uma profundidade de três a seis metros.

Nesse momento, as duas cortinas de fogo estavam se aproximando uma da outra, vibrantes, cintilantes, contínuas e brilhantes linhas de destruição, inevitavelmente comprimindo entre elas os Sinsings tomados pelo pânico.

Enquanto eu observava, um grupo deles, que estivera fazendo um esforço inútil para apontar ao alto suas três máquinas de raios repelentes, abandonou a tentativa e correu para a multidão que estava sendo triturada.

Indaguei bruscamente ao Chefe de Controle sobre a futilidade desses esforços e soube que os Hans, aparentemente confusos sobre o que estava acontecendo, continuaram a "jogar na defensiva" e interromperam as transmissões, depois de ordenar a todas as naves a leste dos Alleghenies que aterrissassem, por medo de que as naves trocadas com os Sinsings pudessem ser utilizadas contra elas.

Voltei novamente ao meu visor, que ainda focava a seção central das atividades dos Sinsings. A confusão dos traidores advinha totalmente do medo, porque nossas barragens ainda não os tinham atingido.

Alguns deles montaram armas de longo alcance e atiraram a esmo contra a linha de barragem, mas depois desistiram. Perceberam que não tinham um alvo contra o qual disparar, nenhuma forma de saber se nossos artilheiros estavam a algumas centenas de metros ou a muitos quilômetros além.

Os homens deles com ultrofones, que não eram muitos, andavam de um lado para o outro de forma tensa, os fones de seus capacetes presos às orelhas, nervosamente dedilhando os controles de sintonização em seus cintos. Sem dúvida devem ter localizado algumas de nossas frequências e entreouviram muitos de nossos relatórios e ordens. Mas estavam confusos e desorganizados. Se tivessem um Chefe de Ultrofone, com certeza não o estavam informando de maneira organizada.

Começaram a bater em retirada ante os nossos disparos que avançavam. Com um desespero intermitente, começaram a atirar de novo contra nossa barragem e as explosões de seus foguetes relampearam em pontos muito espalhados além dela. Alguns tentaram disparos aleatórios de longa distância.

Por mais estranho que pareça, foram as nossas forças que sofreram as primeiras baixas no combate. Desses longos disparos a esmo alguns atingiram alvos, enquanto nossos homens tinham ordens estritas para não exceder as distâncias das barragens. Observada do visor do ultroscópio, a batalha parecia ser empreendida à luz do dia, talvez em um dia nublado, enquanto as explosões dos foguetes pareciam clarões de intenso brilho.

As duas linhas de barragem estavam a menos de 150 metros uma da outra quando os Sinsings recorreram a táticas que não havíamos previsto. Percebemos de início que eles começaram a aliviar seus pesos jogando fora equipamentos extras. Alguns deles, em seu entusiasmo, livraram-se de coisas demais e dispararam de súbito pelo céu. Outros esparsos flutuaram suavemente, seguidos por números cada vez maiores, enquanto outros ainda, preservando um equilíbrio no peso, saltaram na direção das barragens que se aproximavam e saltaram alto, esperando vencê-las. Alguns conseguiram. Vimos outros serem soprados como folhas secas em um vendaval, sendo amarrotados e flutuando lentamente para baixo, ou ainda caindo na barragem, os cintos levados de seus corpos.

Contudo, não era parte do nosso plano permitir que um único Sinsing escapasse e chegasse aos Hans. Eu rapidamente dei a ordem a Bill Hearn para que fizesse com que os homens espalhados pela linha erguessem suas barragens e o ouvi bramir uma fórmula matemática para os Chefes de Unidade.

Nós afastamos nossas naves em formação esparsa à medida que as explosões se expandiam, chegando a uma altura de cinco mil metros. Não acho que qualquer um dos Sinsings que tentou flutuar para a liberdade tenha conseguido.

Porém, depois descobrimos que os poucos que saltaram a barragem conseguiram fugir e chegaram a Nu-yok.

Foram esses que nos deram mais trabalho. Com metade das nossas armas de longo alcance apontada para o céu, previ que não teríamos o suficiente para compor barragens terrenas, então ordenei que a barragem recuasse três quilômetros, a partir das quais nossas "cortinas" começaram a se fechar novamente. Dessa vez, no entanto, preparadas para explodir, não pela via do contato, mas a uma altura máxima de dez metros no ar. Isso deixou poucas chances para os Sinsings saltarem por cima ou por baixo delas.

Aos poucos, as duas barragens aproximaram-se uma da outra até finalmente se encontrarem, e, na aurora cinzenta, a batalha terminou.

Nossas baixas somavam 47 homens nas forças terrestres – 18 deles haviam sido mortos em combate corpo a corpo contra os poucos inimigos que conseguiram alcançar nossas linhas –, e 62 da tripulação e do batalhão da "rabiola" do mergulhador número 4, que havia sido localizado por um dos ultroscópios do inimigo e abatido com uma arma de longo alcance.

Como, pelo menos até onde sabíamos, quase todos os membros da gangue Sinsing haviam sido mortos, consideramos o ataque um grande sucesso.

Havia, contudo, um significado muito maior que esse. Para todos que participaram da expedição, a efetividade das nossas táticas de barragem definitivamente estabeleceu a confiança em nossa habilidade de derrotar os Hans.

Como pontuei para Wilma:

– Tem sido a minha crença desde sempre, querida, de que o foguete explosivo americano é uma arma muito mais eficiente que os raios desintegradores dos Hans, uma vez que podemos treinar nossas gangues para usá-lo sistematicamente e de forma coordenada. Como arma nas mãos de um único indivíduo, disparando contra um alvo em uma linha de visão direta, o foguete explosivo é inferior ao raio desintegrador em potência destrutiva, exceto que seu alcance pode ser um pouco maior. O problema é que, até agora, tem sido usado apenas como usávamos nossos rifles e espingardas no século 20. As possibilidades de seu uso como artilharia, ao montarmos barragens que avançam pelo território ou projetam-se no ar, são tremendas.

– O raio desintegrador inevitavelmente revela sua fonte de emanação. O foguete explosivo, não. O raio só pode atingir um alvo em uma linha reta. O foguete pode ser levado a percorrer um arco, acima de obstáculos, até um alvo oculto.

– Tampouco devemos nos esquecer de que nossos ultronistas agora estão prometendo um perfeito escudo contra o raio desintegrador, feito de inertron.

– Eu estremeço quando penso nos horrores que nos aguardam, querido Tony. Os Hans são espertos. Vão desenvolver defesas contra nossas novas táticas. E com certeza virão para cima de nós não apenas com a força total de seu poder na América, mas com as forças unidas do Império Mundial. São uma raça covarde por um lado, mas espertos como os próprios demônios no inferno, e dotados de uma persistência tranquila, perversa e implacável.

– Ainda assim – profetizei –, o Dedo da Condenação hoje aponta diretamente para eles, e, a não ser que você e eu sejamos mortos em combate, vamos viver para ver a América aniquilar a Praga Amarela da face da terra.